KB172077

돌아오지 않는 청춘의 아픔으로

돌아오지 않는 청춘의 아픔으로

발　행 | 2024년 1월 5일
저　자 | 임설화
펴낸이 | 한건희
펴낸곳 | 주식회사 부크크
출판사등록 | 2014.07.15.(제2014-16호)
주　소 | 서울특별시 금천구 가산디지털1로 119 SK트윈타워 A동 305호
전　화 | 1670-8316
이메일 | info@bookk.co.kr

ISBN | 979-11-410-6462-4

www.bookk.co.kr

돌아오지 않는
청춘의 아픔으로

MENU

작가의 말

식혀낼 수 없는
나를 갉아먹는 우울은
아직도 나의 청춘을 버리지 못한 채로

나와의 타협을 위해
어디선가 나를 옭아매고

선의로 둘러쌓인 나의 삶에
하나의 발판을 놔두며
하나, 둘씩 나의 감정을 먹어버린다

나의 우울은 여기서 그치지 않았고
풀릴 수 없는 한탄에 담긴 말들은
그대들을 옭아맬 것이다

죽음까지 생각했던 사람에겐
이런 아픔과 고통쯤은 별것 아니라서

내 마음을 바꾼 무언가를 생각하기보단
그 마음이 바뀐 이유를 알아야 한다

그래야 내가 반짝인다는 사실을
알 수 있으니까

제 1장 돌아오지 않는 청춘의 아픔으로

아픔은 아픔으로 잊는 것이 아니라
사랑으로 잊어가는 것 이라고 했다
주체할 수 없는 감정이 맴돈다면
이유를 가지지 않는 사랑을 하라

돌아오지 않는 청춘의 아픔으로

내 기쁨과 슬픔에는
모든 희열이 누락 된 동사였다
누군가를 지칭하는 것에 대해
나는 그걸 목적어라고 불렀고
나는 나의 언어를 파괴시켰다
나의 주어는 사라지지 않는 밤이었다
밤은 나에게 진주어 가주어만도
못하는 존재였기에
나는 보어로 나의 문장을 끝맺었다
내 청춘엔 시답지 않은 것들이
나의 발목을 잡았다
날 성장하지 못하게 했고
그걸 난 또 형용사로 표현했다
내 명사는 나의 기쁨을 꾸며내지 못했다
나는 평소에도 이런 말을 자주했다
세상에 없는 것이 나에게 있다면
나는 이렇게 살지 말자고
덧 없는 세상에서 살아가는 내가

초라해 보이고 떨떠름해 보인다면
난 이미 그들의 세상에서도
없는 사람이었다는 것을
내 청춘에는 돌아오지 않는
무언가들이 틀어박혀 자리잡혀 있었다
도망갈 수 없는 무언가들이.

"사라지지 않는 무언가를 찾고 있어, 나는."

나의 파타고니아

나는 이따금 추운 날씨가 되면

휴식이 필요했다

나와 함께 해줄 사람들을 필요로 했고

나와 함께였었다가도

쓸모가 없는 사람을 내쳤다

나는 이기적이었고

그 사람들은 이미 날

동등선에 취급하지 않았다

그런 해가 뉘우치듯 노을이 지면

그때부턴가 나는 어느새 죽어있었다

여름에 죽고 겨울에 피는 할미꽃처럼

나는 죽어있었다

언제 다시 살아날까 고민만 해대는

그런 할미꽃이었다

나의 파타고니아에서는

작은 꽃이 홀로 피어 있었다

그 꽃은 나였고

고로 난 존재하였다가

사라지는 꽃처럼 생명이었다

내 일기는 어느샌가
살아가는 원동력이 되어만 갔고
올라가는 게이지처럼
나의 살아가는 레벨은 올라갔다
안개꽃처럼 예뻤다면
말라 죽어도 괜찮았을 텐데
그냥 난 하나의 부목이었고
그렇게 사라지는 생명체였다

"낭만 실조."

장미야 너는 내 소식을 아니?

나의 무소식이 희소식으로 바뀌었다

내가 찾던 것이 없다는 것을
이미 알아 버린지는 오래였다

나를 찾아간다는 것도 이젠
다 소용이 없었다

모든 세월의 흐름은
나를 위한 중심점이 아니었다

더 이상의 체념은 없다는 듯이
나를 알아가는 모든 형용되는 단어에만
나를 담아갈 수 있었다

나는 모든 사람에게
인정을 받아야만 했다

내가 곱게 살아가려면

그것들은 당연한 이치였고
나는 또 무념 무상한 채로 살아갔다

나에게 삶이란 당연한 것이었고
질려가는 하루는 숨 막혔다

나에게 너무 과분한 것들이
나를 옭아맬 때

나는 그 상황을 가만히
지켜보고만 있을 수가 없었다

왜냐하면 나도 감정 표현이란 것을
할 수 있는 나이가 되어버렸으니까

고민을 할 수 있다는 것이
내가 지금으로써는 최대로
할 수 있는 일이고
겪을 수 있는 일이었다

나에게 머무는 시간은 없었고

자유로운 시간도 없었다

한심한 시간만이 나를 무료하게 만들 뿐

나는 더 이상 할 수 있는게 없었다

"내가 더 이상 손댈 수 있는게 없다."

멀어질 수 없는 것들

나는 아주 작고 작은 고민을 겪었다 나의 옷깃에 달린 아주 작고 예쁜 프릴이 내 마음을 살랑이게 할 때면 항상 내 마음은 무언가들로 인해 일렁였다

난 사랑을 하고있다 사랑을 했었다 그리고 지금은 사랑이 뭔지 모르겠다 나에게 잘 대해주는 것들에 호의를 표하고, 나는 그것을 자꾸만 의식했다

나에게 모든 사물체들은 가치였으니까

내 우울이 없어질 때쯤 다시 그것들은 나를 둔갑해서는 모든 사람들을 매료 시켜버렸다 난 내가 골라 먹고 싶은 맛만을 원했다 싫은 맛도 조금은 느꼈으면 좋겠는데 나는 변덕이 너무 심했고 나의 아픔이 오래된 기억 속을 후벼놓곤 다시 사랑이라는 말속으로 날 보내버렸다

나의 입에서는 쓰린 단내가 났다 멀어질 수 없는 것들에는 조금의 아픔이 담겨있었다 내가 가질 수 없는 것들에는 소중함이 있었고 난 그 소중함을 모르고 자랐다 아팠던 내 기억들을 알게 해주었던 그 사건들로 인해서 나는 아지랑이 피는 굴곡진 삶을 겪었다 멀어지고 싶어서 멀리했던 것들에는 나의 싫음의 풋내음이 나곤 했다 싱그러운 향기 대신에 빡빡한 쓴 내가 나곤 했다 잠에 들고 싶어도 난 그 쓴 내가 입안을 맴돌아서 신경 쓰던 모든 것들을 내다 버렸다 심란한 하루들을 겪었지만 나는 이제 해탈한 채로 파도가 치는 바다를 내다보았다 하루하루 눈물을 흘리던 것에 자괴감을 느꼈다

돌아오지 않는 청춘의 아픔은 나를, 더더욱 힘들게 해버렸다 나의 새벽에는 찬 공기가 날 시리게 했고 나의 눈물샘을 자꾸만 터트렸다 모든 일을 하다가도 나는 자꾸만

눈물이 흘렀다 조금씩 흐르던 눈물이 바다가 될 만큼 흐를 때면 나는 또 눈을 감고 추출되는 눈물을 기다렸다 눈을 감고 생각해보던 것들에는 나의 행복한 얼굴이 하루를 보내고 있는 바람 같은 사람이 보였다

나는 이제 더 이상 바라지도 원하지도 않는 허수아비가 되어버렸다 그냥 같은 자리에서 날 지키는 허수아비가 되어버렸다

"멀어질 수 없는 것들에는 나의 작은 소중함이 묻어났다."

베니스 앞바다와 황홀한 시간

나는 이따금 겨울이 오는 날이면
눈이 내리는 겨울 밤바다가 그리웠다

나와 손을 잡아줄 무언가들이 필요했으며
나와 생각을 함께 해주고
나의 짐을 덜어줄 누군가를 필요로 하곤 했다

나의 잠 못 이루는 생각들에는
모순된 감정들이 나를 억눌렀다
나는 이제 생각도 하지 말라며
날 무너트리기 십상이었다

내가 베니스의 앞바다를 생각했던 건
그 바다를 상상했음이 아닌
누군가가 이 바다를 생각했기 때문이다
때문에 나는 이 바다를 잊을 수가 없다

내가 먹어버린 내 세포들도
눈사람이 녹는 계절이 온대도
나는 그 사랑을 잊을 수가 없다

다시 돌고 돌아 겨울이 오는 날에도
나는 이따금 이런 날이 되면
그 사람이 생각 났다
미워 죽을 것만 같은 그 사람에도
나의 피는 꽃을 생각했다

나의 아픈 기억, 감정만을 생각하기엔
내가 사랑했던, 소중하게 여겼던 그 시간 들이
지금 돌아보니 너무 아깝다고 느껴졌었기에
나는 모순된 사랑을 증오했다

"나랑 바다가자."

마음을 울리는 한마디가 있었네

나는 염원이 담긴 한마디가 와 닿았다
매일이 우울했던 나에게
빈소 같은 쉼터는 존재하지 않았다
쉴 수 없었음에 나의 우울은 공존했다

내 우울이 죽었었더라면
나의 글들은 모두 무사했을까

날 녹이고 가는 불씨들은
하나둘씩 모여 모닥불보다 더 커진 불씨로
나의 모든 구원자들을 죽였다
나의 밝은 글들이 존재하지 않았던 이유에는
수천 가지의 기도가 담겨있었다

떠나고 싶었던 날에는
노래를 불러댔고
죽고 싶었던 날에는
글을 써댔다

그렇게 여러 가지가 모인 나의 작품들은
마음을 울리는 한 마디를 모았다

내 곁에 있어 주는 그대들이
나는 너무 고마워

새하얀 모습의 형체에서는
까만 물들이 흘렀고
그 형태는 그 자리에 있어 주었다

믿고 있었다
내 우울은 더 깊게 짙어지지 않을 것이란 걸
내 시간은 조금씩 더 길어지는데
너무나 많은 시간 들을 덜어내기엔
나의 걱정이 너무 많았고
잊혀져 가는 내 사람의 목소리는
한참을 기다릴 수 없는 블랙홀 같았다

그리운 그 목소리를 다시 찾으니
내 눈에선 눈물이 나를 반겼다
매말라 있던 내 감정선을 깨뜨렸다
시간을 낼 수 없어서
치이고 치이던 나의 모자란 밤을
텅 빈 공허함이 내 마음을 채웠다

나의 마음엔 녹는 눈만이 가득 차 있다
굽어지는 내 허리에는 고독함이 그득했다
그을리는 내 삶의 무게는
그래프의 표본이 되어버렸다

그래도 난 안심하고 있었다
수평선 너머의 마음을 울리는 한마디를
기다리고 있었기 때문이다

"마음을 담은 말들은 나를 더 아프게 해."

새벽의 뻐꾸기는 소리만을 담는다

눈물이 벅차오르는듯 했다
나를 툭 건들이지 않아도
난 눈물이 차올랐다
금방이라도 터져 버릴듯한 눈물이었다
나는 눈물 앞에서는 한없이 어린 아이가 되었고
좀처럼 쉬어지지 않는 숨은
한숨을 일구기 바빴다

신경 쓰고 싶지 않은 모든 일들은
내 한숨들 덕분에 불어 터진 배처럼
너덜너덜한 가죽같이 보였다
한숨은 곧 이은 나의 머나먼 종말을 보여줬다
나의 손가락질 한 번에 내 모든 걸 잃은
나 자신을 쳐다보고 있는 한심한 나의 두 번째 모습을

눈물샘이 매말라 버렸던 나에게
새벽 뻐꾸기는 물을 길러 와주었다
매일 밤을 울고 다시 동이 트는 새벽이면
뻐꾸기는 나에게 물을 길러다 주었다
이런 삶이 매일 반복 될 때쯤에야
난 그저 지친 삶을 호용했다

넘나드는 삶을 살아가다 지치는 날엔
나 자신도 잃었었다

쓸데없는 감정 소비와 공감 낭비는
내 우울만을 더 만들어냈다
찍어 내리는 공장의 물건들처럼
나의 감정도 소비품이 되어갔다
나의 내면엔 밝은 게 없다는 그런 말들엔
내가 밝히지 못했는데
건전지의 역할을 할 수 있겠나라는
그런 생각을 심어 주었다

모든 불평들이 내 하나의 책이 되어가는 순간들에
그 세상에는 이미 나란 사람은 사라져 갔다
가루가 되어 재로 흩날리는 중이었다
소리는 사라지고 남은 건 적막뿐이었고
내 웃음은 이내 울음으로 바뀌었다
싸늘한 얼굴엔 핏기 없는 창백한 나의 얼굴만이
거울 속에 비친 내 마음의 병을 들여다보고 있었고

나는 그렇게 또 나만의 세상을
그들이 없는 대지로 만들어냈다.

"내 삶에는 조금 치우쳐야 하는 것들이 많아 보였다."

내가 걷는 이 길이 고난과
역경일지라도
내가 걷는 이 길을 의심하거나
무시하지는 말아야지

제 2장 잊어낼 수 없는 우리의 마음을 알아

내가 그 사람을 잊지 못하는 것은
이미 자라난 마음이
내 마음에 너무 깊이도
자리 잡았기 때문이다

우울해 할 필요 없다는 말이다
나아지지 않는다고 생각하는 순간
아파하는 나를 또 뭉개고
짓밟는 행동을 하는 것이다

나를 잃어내고 떠오르는 건
한숨만이 전부였던 하루였다

외로운 마음이 날 죽이고 가도
떠오르는 바닷물 위에 나는
죽어 떠나가도 좋을 마음이었다

철이 들지 않아도 될 나이에
철이 들어버린 우리는
나로 돌아가는 법을 몰라서
지나쳐 버린 세월을 후회했다

지쳐 떠나고 싶은 나날들이 반복되는 순간에도
어린 시절의 나는 그런 감정 하나 없이
매일을 매 순간을 헐떡이며 보내겠지
시간이 해결해 줄 것이라는 말들에는
모순적인 답이 있었다

나는 완벽했기 때문에 지쳤다
사람들은 완벽해지고 싶어한다
그렇지만 완벽한 사람들은 완벽하기에
삶이 무료하기 짝이 없었다

나는 바다가 보고 싶었다
파도의 흰 그을음을 구경하고 싶었다
하지만 지금의 나는 아직 미완성된
마네킹에 불과하기에 그 광경을 미처 보지 못했다

허나 스치는 인연엔 연연하지 않았다
지나가는 바람에 그냥 흘려보내기 일쑤였다
나에게 정을 주었다가도 앗아가는 사람에게는
나의 비극을 맛보여주었다
내 아픔들을 어떻게 견뎌내어야 하는지를 알게 했다

속이 문드러져 썩어가고 있는 나는
자꾸만 씹지 못하는 벌레를 씹어댔다
머리통이 점점 더 커지며 생각도 많아질 때
나는 주변 사람들의 생각을 먹으며
내 빈 머리를 채웠다
이게 내가 살아가는 방식이었고
그렇게 살아 나가야만 했다

나를 잃어내고 파도 위에 떠오르는 건
한숨만이 전부였던.
그런 하루들이었다

"한숨만이 전부였다."

고요한 시간들이 나를 더 아프게 하고 있을지는 몰랐다.

하루들을 바쁘게 살아 나가다 보니
나를 챙기는 시간들이 너무나도 줄어들었다
내가 무얼 먹었는지 내가 뭘 했는지도 잘 몰랐다
나에게는 조금의 휴식이 필요했고
그걸 지금의 나는 제일 잘 안다

휴식이 필요한 나임에도
나는 그 휴식을 만끽하지 못했다
어쩌면 그 휴식으로
나의 삶에 변질적인 것들이 생길 것 같았다

같이 바다로 떠나자고 했던 사람들에게도
나에게 조금 쉬라고 말했던 사람들에게도
아플 땐 병원에 가라고 했던 사람들에게도
힘들 땐 기대는 법도 배우라고 했던 사람들에게도

나는 아직 너무 부족한 게 많으니
내가 더 성장하거든 날 다시 찾아오세요
내가 당신들을 만나게 될 용기가 생기면
그때 다시 내가 찾으러 올게요 라고

말해주고 싶었다

나를 무시하는 사람에게도
자신만을 생각하며
남에게는 막 대하는 사람에게도
나는 아무 말도 할 수가 없었다
아직 나는 너무 부족했기에
나는 아무런 말도 건넬 수가 없었다

용기를 찾게 되는 날에
나는 날 찾아 떠날 것이다

정말로 나는 고요한 시간들이
나를 더 아프게 하고 있을지 몰랐다

나를 잃어내고 떠오르는 건 한숨만이 전부였기에
한숨을 내뱉고는 또다시 쳇바퀴 인생을 살아냈다

남들이 나에게 준 상처는 받아도 되는 상처였고
내가 남에게 준 상처는 받으면 안되는 상처였다
이유 없는 말들에 싸움을 걸어댈 때면
나는 또 이유 없는 욕을 먹고는
이해 안가는 상황에 당황하고

턱턱 막히는 숨에는 무료한 긴장감이 흘렀다

도대체 내가 받은 상처는 어디 가서 치유 받느냐는
그런 말에는 많은 언어가 숨겨져 있었다
그것을 그 사람은 해석할 수 있었을까

목소리가 부족한 나였기에
목소리를 채울 목 막히는 무언가가 필요했다

나는 세상과 단절하고 싶었다.

"내가 살아가는 시간은 오로지 나를 빗대고 있어."

떨어지지 않는 나뭇잎은 날 울리지도 못했다

해내지 못하면 울지도 말라고 했다
날 이길 수 없으면 도전하지도 말라고 했다
내 눈물들이 매마른 순간들에도
내 음악들은 날 위해 춤을 췄다

내가 쌓아 올린 모래성들은
물이 매말라 무너지고 있었다

이해할 수 없는 감정들에도
내가 보고 자란 공감들에도
맞장구 쳐줄 수 없는 내 심리도
나는 하나도 날 이해할 수 있는 모든 게 없었다

조금의 동점심이 날 이해하려고 들 때
속이 꽉 찬 나였기에
아픈 속을 이끌고도 날 움직이게 했다

터질 것 같이 아픈 머리도
날 부여잡고도 날 홀연히
저 큰 광장 앞에 날 몰아세웠다

미어터지는 내 공간은
많은 사람들로 꽉 채워져 있었다
그 사이에 껴있는 나는 내 말을 한번 건네지 못했다
날 일으켜 세우려는 모든 사람들에게도
내 주저앉게하는 혹독한 한마디들에도
나는 그저 한마디를 못해 아팠다

두터운 아픔은 내 마른 입만을 만들었고
통통하게 부어오른 내 눈은
그동안의 내 눈물 바다를 일깨웠다

살갗이 다 벗겨져 아무것도 할 수 없이
멍만 때리다 지새우는 하루들은
하루가 무료하기 짝이 없다는 것을 인지하고도
날 방치한 채 내버려 두고
더 아픈 상처만을 내게 했다

상처가 아물기도 전에
또 다른 상처가 나버린 내 몸은
복구되기도 전에 날 망가뜨려놨다
내 스트레스 해소법은 날 아프게 하는 것.
그렇지만 남을 아프게 하진 않았다.

무료함으로 인해 하루 종일 나왔던 하품에는
무성한 잿빛 연기만이 뿜어져 나왔다

"날 울리는 그날에 너에게 칭찬을 안겨다 줄게."

百不一失

난 하나도 실수한 적이 없다.
억울하게 면모를 당한 날에도,
난 억울함을 호소하지 못해서 마음이 짓눌렸다.

세상 모든 사람들이 다 힘들다.
그 가운데에 힘든 사람. 나도 있다.
모든 사람들에게 나는 힘들지 않아 보이나?
매마른 한숨을 내쉰다.
그 가운데엔 죽음이 쌓여있다.
그 더미들 가운데 나도 있으려나?

친구야. 너는 언젠가 모두를 잃고,
나를 다시 찾게 될 거야.
나를 다시 찾아오는 날에는.
나의 슬픔을, 나의 힘듦을, 나의 고통을
너에게 더 많이 안겨다 줄게.

내가 너를 알게 되었던 날.
나는 하늘에게 감사하며 아멘을 외쳤어.
나에 입에 물려있던 벌레들도,

이젠 나와의 약속에 안녕을 외쳐도 된다고 하며,
날 남겨두고 떠나버렸지.

너와의 약속을 지키기 위해서야.

문드러져 아픈 내 몸을 이끌고도,
나는 하루를 열심히 살아 나갔다.
묘하게 쎄한 감정이 나를 이끌었다.
한순간에 내가 하던 모든 일들을,
내려놓게 했다.

아려오던 내 입술도.
찢어지며 부르트던 내 입꼬리도.
진물이 매마르지 않는 밤에.
내 상처는 덧나기 시작해.

네가 나에게 줬던 상처에 비하면,
이것쯤은 아픈 것도 아니야.
최대한으로 견딜 수 없을 때.
난 생을 마감하려고 해.

그런 날에 너는 무얼 하고 있을까.

나만 아프지 않았으면 좋겠다.
너도 충분히 아픈 상황이었으면 좋겠다.

아니.
어쩌면 몰락의 앞에 서있는다면 좋겠다.

百不一失 (백불일실)
백 가운데 하나도 실수하지 않는다는 뜻으로, 목적하는 바를 결코 잃지 않는다는 의미.

"내 아픔에 담긴 너를 증오해."

우울이란 낭만으로 낙하할 것

사랑의 도피는 잠재우던 기복을 깨우는 것
행복은 우울이란 낭만으로 낙하할 것

달이 잠자고 있는 날에도
달이 일어나 있는 날에도
달은 춥다
내 공기도 춥다
나는 외로운 삶을 지낸다
그냥 흘려 보내본다

시간이 걸려도 난 불행해지는
그 길의 앞자락에 서 있을 것
불행을 배우고 끌어내고 싶은 사람 앞에 서서
그 불행을 주입 시킬 것

별은 반짝이는데
내 마음은 왜 반짝이지 못할까
별도 반짝이는데
내 감정은 왜 우울함으로 반짝일까
나는 허무한 인생을 보낸다
그냥 지나쳐 본다

시간이 더 흐르기 전에
나를 사랑하는 법을 잊어버릴 것

시간이 더 흐르기 전에
나를 이해하는 법을 잊어버릴 것

시간이 더 흐르기 전에
너를 사랑했던 나를 잊어버릴 것

우린 우울이란 낭만으로 낙하할 것

"우린 우울이란 낭만을 먹고 낙하하는 나비야."

기나긴 공백이 나를 감싸도는 건 공허한 우울이 나를 안아준 이유에서 임일까

그래도 날 좋아해 준다는 건,
멈추지 않고 흐르던 눈물이 매마른 이유 탓일까.
그래도 날 사랑한다는 건,
건조한 사막에서 오아시스를 발견해 기뻤던 이유 탓일까.

난 그 이유가 무엇이든.
날 소중하게 대해주는 것들이 너무 좋았다.

기나긴 공백이 나를 감싸도는 건,
공허한 우울이 나를 안아준 이유에서 임이었기 때문에.

나는 그런 발상을 내보이고도 차마 웃질 못했다.

내가 눈을 감지 못했던 이유도,
나의 속에 있던 답답한 마음이.
날 죽이고 갔기 때문에.
날 하나도 보존하지 못했기 때문에.
억울해서 임이라고 했다.

날 감싸 안아주세요.
나에게 입을 맞춰주세요.
미숙하고 어리기만 한 나를 구원해주세요.
날 바라보다 시린 눈에서 눈물이 흘러 나오는 날에.
그날에는 나와 볼을 맞대고 함께 울어요.

춤을 추고 싶은 날에는,
날 바라봐주던 그대의 손을 맞잡고.
한 발짝, 두 발짝씩 걸음을 맞추며
기쁨의 희노애락에 빠질거에요.

감정 깊은 심해 바다에 잠수하는 게 아니라요.

"나를 봐라봐 주세요, 그 사이에 낀 허공마저도요."

좋은 어른은 뭘까요,
내게 가르쳐 주세요

나는 좋은 어른이 되고 싶었다
따뜻한 사람이 되고 싶었고
어디로든 도망갈 수만 있다면
당장이라도 떠나고 싶었다
어떻게 살아야 하는지 몰랐기에
나는 날 자책하는 삶을 살았다
날 후회 하게 만들었고 기대하지 않았다
무얼 해야 하는지도 무얼 하고 싶은지도
난 지금 살던 삶을 유지하고 싶었고
다른 세계로 떠나기 싫었다
새로운 환경이 두려웠고
항상 마음은 난데 없이 난도질 당해 있었다
꿈꾸던 비현실적인 세계마저 날 버리고
이미 다른 공간으로 떠나 버린지 오래이고
할 수 있는 건 오직 내 의지 뿐이었고
내 선택들 뿐이었기에
나의 부담감은 빛을 발하고 날라다닐 수 밖에 없었다
모든 게 다 사라지는 꿈을 꾸어버렸다
빛을 기다리면 잠에 들 수 있을까나
해를 기다리면 잠에 들 수 있을까나

눈을 기다리면 동면에 들 수 있을까나
나는 그럼 아무 의미 없는데
이런 계절을 기다리면 내가 눈을 감는 시점은
이미 사라지고 없을 텐데
다 소용없을 텐데
도대체 좋은 어른은 뭘까요
어떻게 해야 좋은 어른이 되는 걸 까요
꼭 살아야만 좋은 어른인 걸 까요
내게 죽음을 주세요
고통 없이 죽는 죽음을 말이죠
그게 아니라면 내게 행복을 불러 주세요
너무도 힘든 꿈을 안겨주기엔
내가 너무도 창창한 청춘을 살아내고 있기에
너무도 많은 아픔은 주지 마시고
너무나 많은 감동을 주세요

"빛을 기다리면 잠들 수 있을까."

천사와 작별인사 중입니다

나의 우울을 마모시키기도 전에
행복을 불러 버렸습니다
나의 겨울이 지나고
봄이 나에게 인사를 건넬 때
나는 봄을 맞이할 수 없다는 말로
천사를 작별시켰습니다
내 우울이 나를 움켜줘었을 때
나의 눈물은 코로 흘러내렸습니다
쓴 커피로 졸음을 아프지 않게 하는 나를
죽음으로 이끈 문 앞까지 인도해보였습니다
내 한숨은 깊은 담배 연기와도 같았으며
늘어나는 머리카락에는 스트레스가 널려 있습니다
아픈 몸을 이끌고도 내 삶과 작별을 건네고는
찢어진 입술을 아물게 하는 것
그것이 내 우울의 시간을 해소하는법 입니다
심장이 벌렁거리는 아픔에는
많은 시절들이 내 앞길을 막고 있었고
이제 그들과 작별을 건네도 될 것이라는
모든 사람들의 조언에도
나는 그럴 그릇이 되질 못하니
나중에 내가 더 성장 하거든

천사와 작별할 수 있는 날이 되면
그때 내가 그들과 작별을 건네 보겠다고 말했습니다
편히 눈을 감을 수 있는 그날까지
나는 실눈을 뜬 채로
입을 움켜쥔 나를, 거울 속의 나를
바라보며 아픈 삶의 나날들을 보낼게요

"내 우울을 버릴 수 있는 곳으로."

제 3장 추락의 착지점

추락하는 삶은 다시
마음 먹은대로 돌려놓을 수가 없다

믿음이라 여겨지는 마음은
내가 나약해진 순간에 믿은
잠깐의 휴식처라고 생각해야 한다

그 삶을 너무 믿는 순간
내 삶은 추락한다

내 삶이 허무해지는 순간은 어느 지점일까

내 죽음이 초라해지는 순간에도
나의 글들은 날 죽이지 않았다

나의 매번의 순간들에도
죽음이 잇달아오지 않았던 이유는
내가 너무 성장해서였다

나는 알지 않아도 되는 것들을
너무 이른 나이에 알아 버렸다

그 어린 아이가 무엇을 아느냐는
그런 소리들에는 내 입도 귀도 손도
다 막혀 들어가서 더 이상의 감정 표현도 못하게
방치된 채로 살아났다

식물에게 이쁜 말을 하고
좋은 말들을 하게 되면
이슬을 고이게 할 정도로 풍성하게 자란다던데

나는 빈번하게 자라는 잡초였다

알 수 없는 감정들에 휘말려
내 눈물샘이 터져 나올때도
내 감정을 컨트롤하지 못한 상황에서도
억제할 수 없는 평소의 감정들은
날 더 휘감기 마련이었다

모든 생물체들은 감정이 있기 마련이고
물론 그 안에 우리도 있다
감정은 바다가 유입되는 파도였다가도
한순간에 그것들을 다 삼켜버리는
그물이 되기도 하니까
나는 그것들을 잠식하게 할 수 밖에 없었다

내가 흘린 땀은 예술의 가치를
인정받을만한 정도의 소장품이었다
그 어떤 누구도 남의 작품을 망칠 수 없는 것처럼
그 누구는 내 작품을 건들지 못했다
그게 설령 나일지언정

눈을 감았다 뜨면 모든 세상이 바뀌었으면 좋겠다
아무 이유 없이 베시시 웃었으면 좋겠다

내가 짓는 미소가 결코
긍정의 의미가 아니었으면 좋겠다
내가 폭력으로 거두어 낸 살인 미소라도
정당화 되었으면 좋겠는 그런 삶
나는 갖고 싶다 증오와 복수의 삶

그러다 내 삶이 허무해지는 순간에는
나조차도 잃어가며 점점 숨통을 조여갔으면 좋겠다
지금 살고 있는 내 삶이 숨통이라면
그 통 안에서 살고 있는 나는 물고기인가
뻐끔뻐끔 거리며 숨만 쉬는 나는
그냥 잡아먹힐 날을 기다리는 물고기인가

나는 아무래도 아무것도 모르겠다
그냥 허무해지는 그런 날을 기다린다
누군가에게는 그날이 제일 소중한 날이라는
그날을 나는 고뇌할 수 밖에 없다

"내 삶이 허무해지는 정점."

2023.03.20.

나와 함께 밥을 먹고
나와 함께 미소 짓던
그 사람이 떠나갔습니다
그 사람은 천국에 갔으려나
있지도 않은 하느님에게
소원을 연신 빌어댑니다
상주에 앉아있던 내가 이제는
더 이상 눈물이 흐르질 않네요
감정이 매마르듯 영원은 그렇습니다
다시 돌아오지 못할 그 밤 보라색 향기는
내가 그 님을 떠나지 못다함에 있습니다
찌르르한 감정들이 온몸에 퍼질대로 퍼져서는
아파오며 쓰려옵니다
나는 이제 님을 볼 수 없는데
후회만 해대며 날을 지세웠습니다
심장이 정말로 끊어질 것만 같음에
내 연골을 끊어내서라도
그 님이 가는 길의 문턱까지만이라도
만나서 배웅하고 싶었습니다
그렇지만 영원은 그렇듯
이별이란 작별도 있어야 한다고 배웠습니다

이젠 편안하게 쉴 수 있게 도울게요
내가 편안해질 수 있는 그날까지
당신을 잊지 않으며 살아가려고요
2023.03.20.

"영원은 그렇듯"

천장에 떠다니는 별을 잡을 수 없다면 나는 그냥 쓸모없는 사람이 될 테니까

사람은 적응을 하는 동물이라는 것은 다 거짓말이었다
한동안은 너무 힘들었고 어느 날은 또 죽고 싶었다
그런 날들이 되면 또 나만 아팠다
모든 순간들은 전부 다 나만 아플 수 밖에 없었고
손가락이 허물 때까지 누군가를 떠올리며
그에게 줄 쿠키를 만들 수 밖에 없었으니까
천장에 떠다니는 별을 잡을 수 없다면
나는 그냥 쓸모없는 사람이 될 테니
더 열심히 노력해서 쟁취해야만 했다
포기하고 싶었어도 성공하기 전까지는
쳐다볼 수 없는 그물망이었고
배가 아파 죽을 것만 같은 날에도
나의 머리를 틀어 올려 견뎌내고야 말았다
쉴 수 없이 바빠지는 날들에도
내 감정들은 묻히기 일쑤였는데도
나는 그냥 좋다며 헤벌레했다
마냥 철이 없었던 우리의 계절은
이제 차디찬 바람을 가로막아서는

따사로운 햇살들이 가로채는 하루들이었지만
나는 무사하기도 전에 비운에 절어있는
죽어 매말라 있는 나뭇잎과도 같았기에
땅에 파묻혀 인생을 살아 나갈 수 밖에 없었다
녹슨 심장에도 거친 손길이 닿을 수 있기에
살아 움직이는 것과 같은 순간들이
모두 찬란한 밤으로 물들어갔다
시린 계절들은 아픔을 이겨낸 후에야
비록 더 성장하는 법이라 했는데
불운에 절어있던 우리들의 계절은
잿빛으로 가득한 붉은색들이
난도질하고 있던 채로
내 마음에도 상처만 깊어갔다
우리의 계절이 그렇듯
하늘에 떠다니는 수 많은 별들을 잡을 수 없는 건
계절과도 멀리 있는 우리의 마음들이 었던가
숨쉬는 계절이 우리를 멀리 둔 탓일까
나는 아직도 잘 모르겠다

"그냥 날 떠나가줘."

시들한 꽃잎은 그 해를 견디지 못하고 시달리고 있는건가

너의 올해는 의미가 있었을까
부질없는 선의 획을 긋고 있는걸까

나는 아직도 모르겠다
희망 앞에서 아둥바둥 거리면서
삶의 끝자락에 안겨 간다는 것을

시들한 꽃잎은 그렇게 그 해를 견뎌낸 걸까
아니면 그 해를 견디지 못하고 시달리고 있는 것일까

우주 공간 속에 파묻혀
매일을 떠다니다가
어느 시점에 도달하면
아무렇지 않게 죽음을 맞이했다는 듯이
마모되어 죽고 싶다

그리움 속에 두려움이 있었듯이
처음 겪는 일들에는 항상 포기가 잇달았다
포기하면 안 된다고 생각하면서도
이미 나는 포기한 지 오래였다

마주 잡은 손안에는
담겨있는 물리적 공식이 있었고
나는 그 공식을 풀지 못하여
아직도 제자리 걸음을 하고있는 것인가

꽃만 시달리는 게 아닌거 같다
꽃봉오리 속 담겨있는 나도
아직 심지 않은 씨앗조차인 나도
시달리고 있을 거다

"Love Story“

건조한 사막이 사는 공간

유동성 있는 삶에는 흐르는 물이 오아시스처럼 있을까
허무해진 삶이 있다면 그 삶을 적셔보면 나아질까

매 순간을 죽을 생각과 포기할 생각에 잠식한 감정들에
누군가의 손지검이 있었다면 난 그것을 또 견뎌냈을까

울리는 알람벨 소리에도 반응하지 못했다면
나는 더 이상 반응할 자격이 있을까
이해되지 않는 말들로 날 홀리려고 해도
난 부족하다고 생각하니까 들을 가치가 없으니까
어쩌면 나에게 그런 기회 조차도 없었을 테니까

나는 삼세번을 참아도 이해가 되지 않는 순간들이
매번 나를 덮쳐왔고 힘겨웠다

건조한 사막이 있는 곳에서
사는 것 같은 느낌이 들었다
이 공간에서 만큼은 그 누구와도 생각하지 않으며
나를 이해하고 다독여주며
쓰린 아픔을 견뎌내고 싶었다만
나는 어른이 되었다

어른은 도대체 뭐길래 날 이렇게도 아프게 할까

나약한 정신의 나는 하루에 세번을 울었다
세 번중에 한번은 대성통곡을 했고
나머지 두 번은 아무 이유 없이 눈물이 흘렀다

나에게 없는 감정은 없다
예민한 신경은 다 하나쯤은 가지고 있는데
사람은 다 똑같았다
상처를 주는 사람도
그 상처를 받고도 똑같이 하려고
다시 그 사람에게 상처를 주는 일

나는 그런 삶이 싫어서
포기하고 싶었는데
포기는 날 더 절망시킬 뿐이었다

내가 조금의 기회라도 얻지 않으면 되는 것이었었나
어쩌면 그냥 상태를 파악하지 말았어야 했을지도
나는 불행한데 왜 당신은 행복할까
날 이렇게도 망가뜨려 놓고
그 옹졸한 입술에서는 입꼬리가 올라갈까
나는 한없이 맥없는 얼굴로
창백해 질린 얼굴로 매번 아픈 배를 움켜쥐고
하루를 사흘을 매일을 살아가는데

내 대인관계에는 무슨 일들이 있었길래
당신에게서는 왜 미소가 나오나요

바늘이 심장에 여러 개 박혀 아프기 시작하면서부터
내 삶의 종점이 왔던 걸까
아프지 않고 싶었는데
안 아프고 있었던 것 같았는데
나는 또 피폐해지고 나약해지는건가

당신들의 삶도 나와 같나요?
누군가로 인해 상처를 받았다면
그 상처엔 언젠간 돌아올 가책이 있기 마련이니
자책하는 삶을 살지 않길 바래요

나는 슬퍼하지 못했으니 조금만 자책하고
나의 삶으로 돌아오려고 합니다
영영 돌아오지 못했으면 이라는 생각이라도 해보는
감정이 드는 새벽이었습니다

"의미 없고 부질없는 삶에 다이빙 할 것."

목 메달아 놓은 곳에
머문 자리는 폐허였다

내 곁에 남아주는 무언가들 덕분에
매일을 죽고 싶어도 죽지 않고 살아내어요
그래야 남은 내 인생도 처절하지 않게끔
부딪쳐볼 시간을 줄테니까

누군가의 폐허를 망치고는 달아나볼까
그러자기엔 내 삶이 너무 두껍잖아
덜컹거리는 지하철도 날 기다려줄 순 없으니까

내 새벽은 너무나도 뜨겁고 따가웠지
눈이 감기지 않는 새벽에는
자리를 메울 수 없는 슬픔이
내 외로움을 더 달래기만 하고 있으니까

고요하기만 한 내 침대에는
살갗이 벗겨져 쓰라린 아픔을 겪는
내 모습만이 남아있고
이곳에서 더이상은 살아내기 힘들다는
한숨을 쉬어낸 뒤에도
악착스럽게 또 매일을 살아냈다

내 인생은 여전히 힘들었고
아프지 않고서야 최후를 맞이하기 힘들었다
안 아플 순 없는 걸까
눈물이 나오지 않을 순 없는 걸까
모든 순간들이 감동적인데
내 눈물샘은 언제 매마르나

먹먹하고 답답하기만 한 내 마음과
해결하지 못하는 내 심정은
얼마나 더 많은 수모를 겪어내야만
살갗이 아물 수 있는걸까

목을 메달고 당장이라도
숨을 가라앉히고 싶은데
이미 내가 사는 곳에서는
목을 메단 것 마냥 숨이 희끗했다
내가 한때 사랑했던 그 사람이 간
그곳의 문턱을 맛보고 있었는지도

무언갈 먹어야만
무언갈 해내야만
내가 살아갈 수 있나요
이미 내가 살아가기에는
너무나도 부족한 시간과
과분한 사람들을 주셨는 걸요

내 감정에 이기지도 못하는
그런 사람들을 주어놓고 살아가라니요
너무 야속한 세월을 나 혼자서 견뎌내라니요
내가 넘어가고 있는 새벽은
왜 이리도 차갑고 무거울까요

아무것도 알고 싶지 않았고
이 쓰린 기억들을 안고 살아야 하는 이유 조차도
내가 겪은 모든 수모들 조차도
다 잊어버리고 살고 싶다

이 공간은 모두의 것인가
감정 쓰레기통이 되어버린 내 품앗은
쿵쾅대기만 한 심장으로 쌓여만 가고
들리지 않는 이명 소리들과
시끄러운 사회의 소리들은
자동차의 경적 소리와도 같았다

점점 커지고 낮아지며 다시 돌아보게 되는
그런 삶의 길을 걷고 있었을 뿐이고
정신없고 집중할 수 없는 관계들은
간단한 대화 조차도 거부할 정도로
내 삶은 많이 지쳐있었는지도
아님 살고 싶지 않았는지도요

아니면 저 멀리 푸른 들판 위에 누워

내가 살아갈 행복한 삶을 떠올리고 있을지도요
언제쯤 이런 삶에서 벗어날 수 있을지
나는 한참 동안이나 생각했는데도
알아낼 수가 없었다

"내가 살아 숨 쉴 수 있는 공간은 없나요."

나를 이해하는 방법도
사랑이 필요한 밤이었습니다

숨을 깊게 들이마셔 봐도
한숨만 나오는 밤이었습니다

그저 죽음을 앞둔 사람처럼
두 눈만 덩그러니 놓인 채로
사람을 기다렸습니다

사람을 기다리다 보니 어느새 지쳐있었고
그 과정을 견뎌낸 내 동공이 풀려 있었습니다

그저 한숨만 내뱉을 수 있었고
내가 할 수 있는 것조차
기억을 잃은 사람이었습니다

분명히 난 사람을 봤는데
못 본채 내 기억속엔
그 사람만 덩그러니 사방을 휘저어놨습니다

터무니없고 한심하다고 느낀 내 하루엔
사랑이 필요했습니다
사랑을 줄 사람도 필요했고요

그저 그렇게 사람을 기다리다가 죽는 건
내가 할 일이 아니라고 배웠습니다
그렇게 그냥 내 기적을 만들어내고 싶었습니다
작은 소중함 조차도 썩어빠지지 않게요

땀을 흘려가며 무거운 물건을 들 때
그 무거움을 나눠들 사람이 필요했습니다
그런 사람이 나에겐 존재하지 않았고요

내 아픔들을 덜어놓게 해줄 감정들을
나는 어디엔가 놓고 왔습니다
아무런 감정이 없는 사람처럼요

내 밤에도 누군가가 곁에 있어 주니까
당신들의 하루에도 누군가가 있겠죠
한숨을 쉬는 상황이더라도
죽고 싶은 상황이 오더라도
난 내 소신을 잃지 않고
한순간을 소중히 하며 살아가려고요

날 이해하는 방법에도
사랑이 필요했듯이
날 지켜내는 방법에도
살아내려는 의지가 필요했습니다

그렇게 그 밤엔 나만 덩그러니 놓여 있었습니다

"날 사랑할 수 없다면 동정하는 눈으로 바라보지 말 것."

모든 일이 마음처럼 되지 않아도
나만은 날 버리지마

긴 하루를 너무 외롭게
아프게 보내기에는
찬란한 이 밤이.
찬란한 우리가
달 그믐에 묻히잖아

제 4장 푸르른 그을음

찬란하게 빛날 순간들을 보며
내 앞을 회상하는 일들은

우울한 마음을 가라앉히며
가려진 마음을 찾아내는
시간들을 보낼 수 있다
우리의 인생은 아름답고
찬란하기 그지없으니까

아무도 진실을 알 마음이 없다

누군가는 매일을 자책하며 살았다
그 누군가를 위해 나는 매일 말해주었다
네가 없는 세상은 너 하나로 인해
조금씩 도태될 거야 나는 네가 없는 이 상황이
정말 힘들고 버티기 힘들 거야 라며 말이다
항상 나에게 짐이 아니라
해결이 되었던 사람이었기에
나는 그 사람을 이해하고도
동정할 수 밖에 없었다
이해심을 바란 것은 아니었지만
모든 게 다 잘 될리도 없었다
해결은 모든 비극을 맞이했다
난 그 최후를 받아들여야만 했고
결과는 또 나에게 참담한 앞날을 비춰 주었다
항상 그래왔지만 나는 비우는 삶을
소비할 수 밖에 없는 삶에 치우쳐 있었지만
너무나도 소중했기에 아껴냈다
차곡차곡 모아 정말 필요하고 간절한 순간에
나는 그것을 비워내었다
그게 어떤 것이던지
나의 자존심이 걸린 문제이던지 말이다
나는 한평생을 무언갈 제대로

좋아해 볼 수가 없었다
내가 그럴 상황이 아니었던 것일까
아니면 내가 그걸 좋아하지 않았던 걸까
내가 그것을 할 수 있는 사람이 아니었던건가
지금의 나도 그것을 잘 모른다
아니 어쩌면 모든 것을
나는 아무 생각 없이 살아왔는지도 모르겠다
그냥 해야만 하니까
해내야 하니까
할 수 밖에 없으니까 하고
살았는 것일지도 모른다
우울한 밤을 지나 보내고
누구에게도 기댈 수 없었던 한 사람은
어디서부터 잘못된 것인가를 생각했는데도
결국은 답을 알아내지 못한채로
어쩔 수 없다는 듯의 한숨만 내쉬었다
나는 왜 어쩔줄을 모르는가
왜 한계점에 다다른 마름모 같을까
무한 루프 속에 빠져서 허우적대는 내 모습이
그렇게 신빙성 없어 보이진 않았나
그런 이해할 수 없는 말들만 내뱉어보는데도
오해로만 빚어진 내 도자기들은
구워져 나오려고 발악만 할 뿐
모양을 만들어낼 수가 없었다
감성에 젖어 하루들을 보내고 싶었지만
나는 시간이 너무나도 촉박하고 급했고

원하지 않는 삶을 살아내는 것이
나에겐 큰 지름길이었다는게
내 눈물들이 큰 바다를 만들면서 깨달았다
깨달음의 이치는 점점 더 큰 오산을 만들었다
나는 이해했음에도 불구하고
투정만 부렸음에도 불구하고
공감해주는 사람들이 있었기에 하루를 살아냈다
그렇게 몇 날 몇 일을 살아내며
내 시간에는 이런 글조차도 터무니없고
의미가 없는 삶이었으며 부족했고 또 모자랐다
그렇게 허무한 시간 들이 지나가고 나면
좋은 사람이 되기 위한 발자취를 걸어가려 한다
내가 원하는 곳으로 향하는 여정을

"어쩌면 정말 버티기 힘들었는지도 몰라."

장미 덩굴

앞서가며 유도하는 한 마리의 나비처럼
나는 왜 이목을 이끄면서도 행복하지 않을까

누군가에게 관심을 받아야 하면서도
나는 상대방의 기분을 파악하며
눈치를 보는 감정을 가져야 했다

눈물을 보이는 순간에도 위로받지 못하는
나는 그런 어처구니 없는 헛된 삶을 살지 않았는가

이런 이기적인 세상들에게
너무 감사하게 여겨진다

소중한 사람들이 있어도
나는 나 자신을 챙겨야 한다
내가 너무 이때까지 남들을 챙기며 살았기에
나도 이젠 베품을 받는 사람이 되어야 한다
그런 생각을 하는 지금의 내가
맞는 의견을 내고 있는걸까

정말이지 나는 구제 불능의 삶이었다
눈을 감고 지내보는 삶이 더 큰 이목점이 될때
나는 이제 그 뜻을 따라보려 한다

누군가의 절망과 절정이
다른 사람들에게는 눈요깃거리일 테니까

내가 쟁취할 수 없다면
그것들은 바위처럼 땅에 박혀
뿌리 채 뽑히지 않는 덩어리에 불과하니까
내 모습을 감추면서야 모든 것들을
마음 놓고 해결할 수 있었다

장미 덩굴을 해쳐나가려면
칼자루를 쥐어야 했다
부족한 것들을 채워나가야만
칼을 만들 수 있었는데
나는 아직도 자라지 못한
덩굴의 작은 새싹이었다

이해하지 못하는 작은 것들에는
그것들만을 위한 시가 있었으니
나는 그 나지막한 소설 같은 한 편의 영화를
그저 흐뭇하게 바라보며 듣다 잠에 들 수 밖에 없었다

그저 그런 삶이 내 훗날 언지가 되더라도
나는 그냥 못 본 채 살아가며
눈 뜬 장님으로 생활하는게
마음 편하고 쉽게 사는 방법이었으며
죽을 때도 마음 편할 수 있도록 하는 게

내가 가장 원하는 생이라고 하였다

가시 같은 따가움을 가진 장미 덩굴은
어느새 내 머리가 자라 긴 머리카락을 가지며
하얗고 빛나는 백발의 머리가 될 때쯤
다 자란 성장기를 마쳤다

이제그만 예뻐야 할 장미 덩굴은
행복해 보이지 않았고 윤기라곤 찾아볼 수 없었다
내가 봐왔던 장미는 이런 색감이 아니었다
그 장미를 보면서 나는 아주 작은 눈물을 보였다

내가 살아온 삶이 장미와 아주 흡사하구나
이 장미 덩굴은 내 세월을 보여준걸까
라며 혼자만의 상상의 나래를 펼쳐보았는데
유동성 있게 어떤 사람은 손가락질 하며
그 덤불을 가르키면서
네가 그러고도 장미 덩굴이라고 할 수 있나
모양새는 그냥 가시 덩굴이 아닌가 라며
나의 마음에 혼선을 주었다

믿고 있었던 나마저도 장미 덩굴이
가시 덩굴이 아닌가 싶게 만들 정도로 말이다
이처럼 사람의 생명은 아름답고도 진귀하다
내보여지는 것만이 아름다운 게 아니라
그 속을 알게 되어야 비로소

나 자신을 찾았다고 당당히 말할 수 있게 되는 것이다

나는 그것을 못해서 여태 날
저 깊은 심해 바닷속으로 몰아세웠나보다
매일을 살아내기도 바쁜 나를
더 힘들게 한 처지였다

날 위한 것이 아니라면
대인관계를 형성할 필요가 없다는 것도
대인관계에 지쳐 데인 내가
깨달음을 이해한 시기에 알아차렸다

필요 없는 다툼이란 내 심정의 변화만 일으킬 뿐
나는 필요 없는 삶에 다이빙하지 않아도 됐다
그게 설령 부모님일 지어도 날 무시하지 못한다
이제는 날 완벽히 이해해버린 그런 시기였으니까

이제는 힘들면 기대도 돼
이제는 힘들면 말해도 돼

너는 한평생을 남들만큼 힘들게 자라왔고
후회하지 않을 만큼의 삶을 지내왔고
잘 버텨내고 잘 견뎌내 왔으니까

남은 장미 덩굴 마저도 베어나가
너의 삶을 펼쳐낼 수 있을거야

이제 한번 베어보자
너만의 세상으로

"나를 찾아내려는 발자취,"

부러울 것 없던 시절

등골이 아리다 못해 저렸다
팔은 이미 마비가 되기 일보 직전 이었다
마음에 꽃이 피기 시작하던 게
그게 초록 마음이었다

찢겨진 마음을 조각조각 맞춰
퍼즐처럼 나열해보면
내가 바라온 세상이
내 앞길의 등불이었는데도
나는 그 기회를 잡지 못해
안달 난 망아지였다

그래도 난 하나의 줄기세포처럼
끊임없이 자라나고
계속 성장하며 죽지 않고 살았다
아니? 누군가가 나에게 살아나라고
농약을 준게 아닌가 싶다

그것을 들이켰을 때 나는 이미
마법처럼 약에 취한 것일지도 모른다
그런 환상이 날 잠재운다
그냥 난 날 가지고 춤춘다
그냥 난 내 놀음에 놀아나면 됐다

조금만 그냥 남들처럼만
나도 그런 시절을 겪어보고
나도 그런 시절을 지내봤으면 하는
그런 부러운 시절이 한번쯤은 있지 않은가?
나는 그런 부러운 시절이 너무 많아
한이 맺혀 살아온 것인지
누군가는 못 했을 이야기들을
나의 나름대로 나열 해 봤으나
처음엔 내 멋대로 되질 않았다

차차 나의 힘듦에 아픔과
우울이 공존하던 시기에
나의 모든 글은 완성형에 가까워졌다
그냥 이건 하나의 예술 작품이었다

모든 사람들이 다
나의 것을 보고
이게 예술 작품이다 라고
하지는 않겠지만
내가 좋으면 된 것 아니겠는가?

나는 그냥 나의 제멋에 살다 죽으련다
그냥 나는 부러울 것 없는 시절을
나의 나름대로 생각해내며
있는 그대로의 나의 삶을

지내오기를 바라는 중이다

"남의 눈치를 왜 봐, 난 나의 길을 걸으면 돼."

음표를 잘라 붙힌 조각으로 내 이름을 각인하는 것

내 몸에 작은 증표 하나가
날아와 얹혀 살았더라도
나는 그 눈을 감을 수 없었더래요

내가 죽을 것 같다고 생각했던 그때는
이미 나는 돌덩이처럼 단단해져
파묻혀버린 한 바위나 마찬가지였더래요

갈기갈기 찢겨져 아팠던 내 몸도
이제는 정말 치유하자며
나를 더 옥죄어오지만
그런 당당함은 내가 될 수 없더래요

하나같이 다들 이기적인 삶에
나만 도태되어 식물처럼, 나무처럼
거꾸로만 자라가고 있을 때에
비로소 내가 완전체가 되어
다시 자라나는 중이었더래요

매일이 너무 두렵고
나는 매일을 너무 힘들게 살고 있는데

나의 노력들을 짓밟아 평가하고는
나의 앞길에 자수를 놓더래요

내가 어떻게 될지도 보지 못한
그런 사람이면서

나의 삶에는 정말 정상적인 사람들은
존재하지 않았는데도
비즈니스적 관계들만 치우친 나의 삶은
이미 지쳐버린 내 모습들만 보였다

이제 해결 하는게 내 숙명이라며
안녕, 안녕, 안녕히 라며
내 마음을 던져 놓았다

언젠가는 사라지겠지
붉은 종이가 재가 되어
활활 타 사라지게 된다면

노란 유채꽃이 내 들판을 채울거야
파란 바다는 날 유영하며 헤엄치겠지
내 도화지에는 붉은 동백꽃이 사랑을 피워주겠지

아쉬움이 생기면 다시 힘든 나날을 보내고는
내 눈동자에 건배를 한 뒤
살결 사이로 향기를 배어낼거야

들판 위에서 내가 마음편히
휴식을 취할 수 있을 때까지
그날들을 잃지 않으며
기억할거래요

"작은 땀이 모여, 단단한 바위가 되겠지."

찬란하기 그지없는 황혼의 밤이 찾아왔다

황홀을 맛본 나에게는
여지없는 그런 밤이 찾아왔다

미련하기 그지없던 나에게는
찬란하기 그지 없는
황혼의 밤이 찾아왔다

싸움을 부추기는 건
내 마음속의 병이 그랬던 걸까
아님, 누군가의 손짓에
내가 부름에 응답한 걸까

아빠, 난 요즘 기분 나쁜 꿈을 꿔요
아빠가 사라지는 꿈들을요
할아버지 우리 아빠 좀 살려줘요
황홀을 맛보지도 못했는데
이런 시련들은 내게 아직 마땅한 벌이 아니에요

어떤 적당한 시기가 되면
내가 그때는 당신을 만나러 갈테니
제발 우리 가족만은 지켜주세요

그의 대가로 나의 미소를 드릴게요

나는 미소를 지을 자격도 없는 사람이니까
나는 내가 성공하기 전까지는
아무 일도 없던 것처럼 살아내야 하는 사람이니까
죽을 고비를 넘겨 가면서라도 날 지켜내야 하니까
그렇게 오늘의 밤도 무사히 지나가는 듯 하였다

그러니 이제는 편안히 눈을 감아도 될 듯 하다
누군가가 나의 삶에 방패막을 쳐주었고
아직은 그 방패를 깰 사람들이 없기 때문에
싸움을 걸 그 누군가도 존재하지 않는다

아니, 어쩌면 그냥 내 주변엔
아무도 존재하지 않는지도.

"나의 황혼은 어디에."

지나쳐가는 기회들을 잃었을 때

무언가가 내 앞을 스쳐 지나가요
오늘도 나는 눈물을 머금고
흘려내질 못하네요

내 마음의 응어리를 가둬둔 채로
나는 또 말을 하지 못하는 사람이 되네요
그걸 내뱉기에는 나의 시간이 나의 성장이
그걸 막아내고 하지 말라고 하네요

나는 절대로 말하면 안되니까
나는 더 이상 기대는 것을 바라면 안 되니까
그렇게 살아내는 것에 무뎌졌으니까

허기진 마음에 내 입을 무겁게 해요
잡을 수 없는 기회들은
잃을 것이 많은 사정들이 많아서
그저 그렇게 그런 하루들을 보낸대요

녹아버린 내 심장에도 사슬이 메워져
내 앞을 볼 수 없는 눈들을 뜨게 한다면
그저 감동일 수 밖에 없는
내 눈물들이 그 환영들을 반겨줄 거라네요

나의 배고픔은 사랑이 부족했기 때문에
생겨난 이유임에서 오기에
나는 또 배고픔에 주변을 허우적 대기만 한다

내가 느끼고 있는 이 감정들은
모진 소멸감이 아니라 영원해야만 하는 것인가
불안하고 초초한 마음들은
하루가 지나면 지나갈수록 커져만 가는데
나는 이렇게 그냥 끝나만 가는 삶을
채워나가며 살아야 하는 것일까

그게 잘 모르겠다

비즈니스적 관계들을 유지할 때 중요한 것은
나의 마음을 들키지 않는 것,
내 감정을 드러내지 않고 포커페이스를 유지할 것,
마음이 동요하는대로 동의하지 않을 것,
모든 상황에 단절을 유도할 것,
어떤 상황이 와도 평정심을 유지할 것,
거절을 밥통에 주걱이 필요한 순간만큼 표시할 것.

그냥 나는 내가 살기로 마음먹은 대로 살래요

그래야 내 눈물이 그것들의 마음에
성의를 표할 때 모나 보이지 않을 테니까

"기회는 주어질 때 잡아야 해,
더 이상 너에게 찾아오지 않는 질병이야."

나에게는 독이 되어라

나에게는 너무도 과분한
널 좋아할지 말지 고민중

나를 사랑하는 법도 잊었는데
나는 사랑하는 법을 모르는데
내가 어떻게 당신을 좋아해야 할지 모르겠어요

나는 이렇게도 모자란데
나는 사랑에 고픈 사람인데
그냥 날 사랑해주는 것만으로도
고맙기 그지없는 마음인데

왜 당신들은 날 사랑하지 못해 안달이죠

난 누구의 것이 아닌 나의 것이기에
난 날 소중히 여겨야 하기에

누구를 사랑할 수 없는 병에 걸려 버렸어요

내가 날 아프게 해도
내가 날 외롭게 만들어도
내가 날 우울에 빠지게 해도
모든 순간들이 무력감에

아무것도 할 수 없는 상황이 오더라도

난 날 사랑할 수 밖에 없는 병에 걸려 버렸어요

그대는 나에게 독이 되어 주세요

내가 그댈 사랑하는 마음이 꽃이 되지 못하게요

그러고는 날 아프고 처참하게 버려 주세요
그리곤 날 떠나 더 좋은 사람들을 만나
더 많은 더 넓은 세상을 보며 살아주세요

그게 내 마지막 잎새 같은 소원이랍니다

난 나를 위한 시간을 쓰기에도
바쁜 사람이기에
당신을 생각할 겨를이 없을 거에요
그러니 당신도 날 생각하지 마세요

그렇게 그냥 날 처참히 날 버리고 떠나
나에게 독이 되어 주세요

"내가 날 사랑할 수 있을까"

빛나는 날을 회상하기만 해도 돼

나에게 맞출 필요는 없어
너의 기준이 곧 이은 나의 기준이 돼

누군가의 가르침이 너에게 독이 되어도
나에게는 일개의 노래가 흘러나오는
하나의 문장과 대본이 될 거야

나는 멋진 어른이 되고 싶었는데
너는 멋진 어른이 되었니?

나는 아직 갈 길이 멀어 여기 머물러
남은 나의 날들을 회상 하기로 했어

그곳에서 너가 행복한 삶을 살고 있다면
난 그 소식을 전해 들은 것만으로 기쁠거야

빛나는 날을 회상하기만 해도 돼

그저 너는 한 없이 밝은
빛이 나는 줄기일거야

끝이 없이 자라나고 또 죽었다가도 살아나지

그저 나에게만 영양분을 공급해줘
내가 죽지 않고 살아가게만 해줘

한없는 우울의 밤으로 빠져들어가면
그 우울에서 헤어 나올 수 있도록
네가 동아줄을 내려주기만 하면 돼

그저 그렇게 살아가면 되는 거야

더 바랄 것도 없어
더 나무랄 것도 없고

누군가가 너에게 해코지를 한다면
나를 찾아와서 그의 이름 석자를 말하기만 해줘
내가 그 사람을 알 수 있게끔 해줘

모든 상황을 송두리째 바꿔놓을 나니까
그러려고 태어난 존재니까
나를 이용해 그리곤 버려

빛나고 찬란해질 너의 밤들을 위해
나를 영양제로 써도 돼

나는 너를 위한 존재니까
너만을 위해 살아가니까

그저 그렇게 우리는
빛나는 날을 회상하자

“빛나는 날을 그냥 떠올려줘, 날 생각하듯이.”

제 5장 돌아온 나의 마지막 겨울

아픔을 종결시키기 위해
죽음을 함부로 선택하지는 마

살고 싶어도 살아지지 않는
사람들의 몫마저
네가 살아가도록 해

너의 마음을 감추지 마

따뜻함이 식은 겨울에는
매섭게 불어오는 바람에
나의 추위만 가득했다

내가 마음을 감춰 보인 건
당신을 사랑한 마음이 아니라
나 자신이 아니었을까 하는
마음이 한켠에 자리 잡았다

이윽고 아려오는 고통은
어느새 나의 눈에 눈물을 고이게 했고
나는 그것이 매마를 동안 아파야 했다

우리는 모두 어른이 될 수 없었다
사랑은 비가 갠 뒤에 왔고

네가 긴긴 잠에 들기 전까진
내가 감출 수 있는 마음은 일시적 허용이었는데
지금은 후회만이 맴도는 그런 하루들이었다

나는 항상 후회만을 하진 않았는데
그 감정들에 자책을 할 뿐이었다

누군가가 또 나와 같은 감정을 느낄까 봐

당신을 위해 삶을 선택했으면 좋았을 텐데
왜 당신은 남들을 위한 삶에
당신의 마음을 감추셨나요

추운 겨울이 오면
소소한 행복을 위해
우리는 따뜻한 코코아 한잔을 나누어 마셔요

그전까지 당신의 삶이 온전히 보존되어 있을까요

"왜 당신의 마음을 나에게 숨기나요."

사랑하는 것을 잃었을 때

공허한 마음을 풀어내는 게
어려운 사람이 한 명 있습니다

꼬여버린 감정선 덕분에
그 사람의 밤은 꼬인 선을 풀어내는데
일어나는 해를 볼 때까지 끝나질 않습니다

깊게 빠져든 우울과 공허함에
빠져나오기 힘든 그런 상황들이
바다에 사는 해초들에 발이 묶인
내 모습과 닮아있네요

당신의 밤은 나와 같습니까?

나는 사랑하는 것을 잃어
마음이 아프진 않지만
무언가를 잃은 것 같은 슬픔에
마음 한 켠이 자리잡지 못하고
덧나기만 하는 것 같습니다

나는 아직 아픔을 이겨내지 못했기에
그 아픔들 마저 사랑하며 살아 나가야 하기에
그 아픔을 나몰라라 하고

날 안아주지 않을 수 없었습니다

모든 사랑은 무한한 가능성을 가지고 있고
그 누구와도 할 수 있는 것이 사랑이지 않겠습니까

저는 그 누구와도 사랑할 수 없습니다
나의 심장이 그 사람만을 위해 뛰어가기 때문에
다른 사람들을 위해 내어줄 심장은 없습니다

저는 한사람만을 위한 독신적인 사랑을 추구하기에
그 사람들을 배려할 수 없습니다

그런 사람이 되지 않기 위해서는
우리는 그냥 정해진 숙명대로 살아가는 게
우리가 해야 할 일이라고 생각합니다

사랑하는 것을 잃었을 때는
그 아픔으로 인해 자책하지 않고
잘 살아내었으면 좋겠습니다

마음속 공허함이 날 부를 땐
날 찾아와요

그 아픔들을 싹 잊게 해줄
마법의 물약을 건넬게요

"공허한 마음이 자리잡았다면 나에게로 와요."

August

닦일 수 없는 내 아픔에는
곰팡이처럼 녹슨 우울이 묻어있었다
사그러들지 않는 감정들은
나를 묻어나오게 했는데
세상에 나란 물은 피어날 수 없었다고 했다
나도 잘 모르겠는 감정들은
어쩔 줄 모르는 상황들이
나를 감싸 안더래요

내가 행복을 가져도 되는 사람일까
내가 우울만을 가져야 하는 사람일까
고민하고 또 생각했는데도
아직까지도 모르겠는 나만 커진 감정은
주체할 수 없는 8월의 끝자락을 달려가고 있는데
누군가는 힘들었을 8월이
나에겐 행복으로 다가와지는 그런 계절이 되었을 때
나는 그의 곁에서 잠들었다

어떤 마음이 피어지는지는 나도 알지못한다
내가 걱정하는 모든 것들은
정말 일어나지 않는 초래할 수 없는 것들인가

내가 나를 지키는 방법은
눈을 감지 않고 계속 떠 있는 것인데
나는 아직도 그럴 수 없는 심각한 고민들에 빠져
누군가를 생각하고 있을 뿐이다

남들에게 배려만 하는 삶을 살다 보니
나의 이번 달도 나만 외로워지는
삶을 산 건 아닌가 싶다

누군가와 만남을 도래하면 할수록
난 더 외로워진다

누군가가 피워놓은 꽃밭을 망치는 일도
나는 서스름 없이 할 수 있을 정도로
나는 그 숲이 싫다
내 감정이 유입되는 바다가 싫다
그 파도에 먹혀버리는 내 감정이 싫다
누군가가 심어놓은 식물이 되긴 싫어서
나는 용기를 내어보았는데
그 용기를 도전한 마음이 무시되기도 싫다

나는 그냥 나대로 살아가는 게 좋다
누군가에게도 간섭받지 않고

자유롭게 사는 그런 삶을 원한다
아주, 매우, 많이 그리고 더욱더

"상처를 받는 것이 당연하게 되는 것."

뱀을 사랑한 소년

유혹되어 무언가에 사로잡힌 소년은
그렇게 그 밤을 맞이하게 되었는데
행복함은 온데간데 없고
외로움이 공존하고 있었다

문제는 나만 그런 게 아니라
뱀을 사랑하고 있던 소년도
모든 상황이 더 우울했던 게
내가 그 상황을 놓은 이유에서 임이었다

금방이라도 터질 것 같은 마음의 말은
결국 내뱉으면 안 되는 말까지도 나를 감싸 안았다
그렇게 해서는 안 되는 그런 말들로
그 사람과 나를 더 아프게 하는
그런 통로를 만들었는데도
아직까지 아무것도 할 수 없는 내가 싫었다

상황을 뒷수습하기에는 너무나도 멀리 와 있는
그런 내 모습이 너무 한심하기 짝이 없었다
그렇지만 나는 또 밭에 꽃을 심기 시작했다
나의 슬픔을 나눌 사람을 필요로 했다

슬픔은 사랑으로 잊어야 한다고 배웠다

누군가가 던지듯이 건넨 한마디가
나에게 화법을 알려줬듯이
나의 아픔과 슬픔이 사람들에게는
행복과 좋은 일들로만 가득할 것이라는
그런 말 들을 퍼트렸다

그만 날 잊어줘요
너의 슬픔마저 먹어갈 나니까
힘든 것 마저도 내가 사라지게 할 테니까
날 잊고 행복하게 살아 주세요
뱀을 사랑하기엔 당신은 아직 어리석어요
한기가 도는 밤은 내 마음을 더 울리지만
그 공기가 나에게 주는 선택은
항상 틀린 답은 아니기에

나에겐 이런 슬픔이 날 더 성장하게 했다

"사랑할 수 없는 것들만 온전하더라."

매미가 우는 계절에는, 우리

우리의 사랑은 시린 겨울에 왔다
추운 겨울 덕분에 우리가 손을 잡을 수 있었고
그 겨울이 온 덕분에 우리가 안을 수 있었다

그 겨울이 도와주었기 때문에 우리가 만났다
나는 그래서 이 겨울이 지나가는 것이 두려웠다
문득 어느 하루가 죽고 싶어지는 날이면
그 사람만이 날 살려냈는데
이젠 그 사람이 존재하지 않는다

나는 살 이유가 없었다
그의 곁으로 가야만 했다
이 삶이, 이 불행이 그에게도 온전해야 했다

나는 살아있음에 더 외로웠고 더 아팠다
그게 누구에게든 함께하면 안 될 것 같았다
나는 사라져야 마땅한 존재
누구에게도 옆에 있어선 안 되는 사람
그냥 조용히 지내다 조용히 사라져주는
그런 마네킹 같은 존재
나는 그런 삶이 이젠 지쳤다

다 내려놓아야 한다
나를

그래서 매미가 우는 계절에는
너를 다시 만날까?

나를 보존하고는 지켜낼 수 있을까
눈물이 자꾸만 난다
흐르는 눈물이 계속 멈추질 않는다
누군가가 흘리게 만든 눈물
그 누군가는 내가 눈물을 흘리는 이유를 모른다

내가 느끼는 이 감정이 정말
제대로 된 감정이 맞는 것인지
나도 아직 잘 모른다

그래서 그 이유임에서인지
나는 더 세상과 부딪혀 보고 싶었다
그에게 내어줄 마지막 심장을 들고서

"누군가가 부른 손짓에 달려갈 것."

moment

아픔이 오가는 계절에는
쓰린 순간들이 스쳐 지나갔다
무시 받는 게 일상이 되어버린
그런 시점들에는 눈칫밥을 먹는 내 모습이
고스란히 자리 잡았다

때때로 가장 큰 힘은
놓아주는 것에 있다고 했다
감정 속에는 새로운 감정들이 꽃 핀다
내가 가질 수 없는 것들에는
큰 화가 치밀었다

아무렇지 않게 살아가는게
나에겐 너무 큰 아픔이 되어버려서
답답함을 이루 말할 수 없는 그런 상황이
나에게 더 큰 압박감으로 느껴지는 게
나는 아무것도 할 수 없는 내가
그냥 한심했고 날 무시하고 싶었다

내가 사람들과의 대화에서
제일 하고 싶지 않았던 말들은

미안해, 사랑해, 그만해
내가 사람들의 말을 들어가며
의미 없는 미소들을 띄워가며
기분을 맞춰주고 있는 그런 상황들이
나에게는 너무 치욕적인 느낌이 들어서
항상 그런 나에게 눈물이 났다

눈치를 보며 살고 싶지 않았는데
누군가가 화나 있는 모습에 눈치를 보며
살아가야 하는 내 자신을 보면서
누군가도 이렇게 살고 있을까 라며
나를 먼저 생각하기 보다는
남들을 챙기는 나를 되새겨보면서
차가운 공기에 한숨을 쉬어 내본다

나는 계속 눈물이 흐른다
멈출 기미가 보이질 않는다
나의 눈물을 모으면 수영을 할 수 있을 것 같았다

내어 보이고 싶지 않은 억지 웃음을 보인다
되기 싫은 사람을 마음속에 생각하며
나는 오늘도 그 사람을 따라하며
하루들을 시작해 내어 보이곤 한다

우리는 모두 저마다의 사정을 가지고 살지 않는가
마음속으로는 싫다고 하는 사람 한명씩 품고는
그 사람을 똑같이 따라 하며 살진 않는가

내 의지대로 되는 건 하나도 없다
우리는 모두 인간에 불과하기에
그 상황을, 그 순간들을 기억해내야 한다

우리의 9월은 푸르렀고
나의 가을은 벌써 부터 겨울이 오는 듯 했다

나의 마음은 요동치듯 공허한 마음에
물을 붓기 시작했다
기분이 나빠 오는 상황들은
모두 다 밀어 넣기로 했다
그리고 모든 일들을 태워버리고
나의 한숨만 연기처럼 뿜어져 내어 보일 뿐이다

오늘도 바뀐 건 하나도 없다
바뀔 기미는 보이질 않는다
푸르른 우리들의 상황을 바꾸려면
모든 상황들이 삼박자를 이루어주어야 한다

나는 그런 신경들이 쓰이기 시작했는데도
나를 아껴주기로 했다
모든 생명체들은 사랑받아 마땅했기에
그 생명체 중 하나인 나도
그 순간을 사랑받기로 했다

"나의 순간은 기회가 돼."

누군가의 눈물이고 싶어요

외로운 마음은 공허함이 차오르기 전부터
날 울리기 시작했다

슬프디 슬픈 노래들이 흘러나오면
내 마음이 오히려 더 개운해지기보다는
먹먹해지는 느낌이 들었다

심장이 철렁 거리는 순간들이 오면
나는 마음에 묻어둔 말들이 눈들에게 오가면서
더 듣고 싶지 않은 말 들을 만들어냈다
그 말들을 그냥 흘려보내고 싶었는데
마음속에 콕 박힌 게 날 더 부정적으로 만들었다

난 온전한 사람인가
누군가에게 필요한 사람인가
그저 그렇게 살아 나갈 수 있는 사람인가
마음이 가는 대로 살아내고 싶은데도
내 마음은 정확하게도
이루고 싶지 않은 것만 이루게 되더래요

잊을 수 없는 그 시절이, 그 상황들이

지나가면 지나갈 수록 더 깊게 짙어지는게
나는 아직 모든 것들을 잊을 수 없었음에
오늘도 그저 기다리기만 한다고
그렇게 말도 못한 채로 생각만 하다가
지쳐 잠이 들어버리고 만다

누군가의 눈물이 되고 싶었던 이유는
내가 흘린 눈물이 너무 많기 때문에
누군가에게 눈물이 되어
똑같은 슬픔을 되물려주고 싶었기에
나의 존재는 오늘도 살아간다

내 감정은 참고 참아내었다
포기해야 하는 것을 포기해내고
주어진 기회를 잡았다
눈은 자주 감겼다
그렇지만 나는 아직도 잠이 모자랐다
너무 텅 비어버린 속과 공간이
수채화 같이 퍼져있는 감정 들을 불러냈다

오늘도 하루를 수고했을 사람에게
아직도 너는 열심히 살아가고 있구나
마지못한 배앓이를 하며 살아가는구나

애써 애처로운 얼굴로
흐르는 눈물만 닦아내고 있구나
그렇게 말해주고 싶었다

“슬플 땐 눈에서 물을 떨어뜨려봐.”

낙담의 휴일

마음속의 무언가는 고장이 나 있었다
나는 아무것도 만질 수가 없다
그래야 만이 그것이 다시 고쳐질 수 있었다
나는 눈을 감아야 마땅한 사람이었다
그래도 나는 낙담하지 않았었는데
이제는 낙담의 휴일이 와버렸다
모든 순간들이 다 나에게는 중요하지 않았다
모든 일들은 뒷전이었고 내가 제일 중요했다
그러더니 모든 사람들이 날 떠나갔다
그러고는 그 사람들은 날 보며 조롱했다
내가 살아 숨 쉴 수 있는 방법은
그냥 날 포기하는 방법 뿐이었다
항상 나만이 날 숨 쉬게 했는데
나는 날 포기해야만 살아갈 수 있는
그런 원동력이 되어 버렸다
나는 바다가 좋았다가도 싫었다
바다를 보면 나의 한숨이 파도처럼 밀려 나가는 바람에
내 눈에서는 닭똥 같은 눈물만 흘렀다
내가 일을 해서 살아가는 것이 당연하게만 느껴진다면
그게 정답은 아니었단 것을
내가 바라보고 있는 바다가
날 삼켜버리기 일보 직전의 시점에서
날 일깨우기 시작했다

나는 일을 하지 않으면 살아갈 수 없는 사람인가
그냥 나는 나만이 정답을 아는 사람이다
그 누구도 날 더 잘 알 수는 없다
누군가가 날 잘 안다고 말한다는 것은
그저 날 안다는 목적을 가진
의미 없는 말들 뿐이었다는게 정답인 것이었다
나는 날 알아내야만 했다
그래야만 중요한 것을 알 수 있다
내가 왜 살아가는지
내가 왜 죽어가는지
그런데 이걸 아는 사람은 나밖에 없다니
이건 정말 낙담할 수 밖에 없는 일이 아닌가
내 귓가에는 피아노 소리가 맴돈다
그저 그렇게 흘러가는 것이다
내가 살아가는 이유도 그렇다
그저 흘러가니까 살아가는 것이다
그렇게 살다가 그렇게 죽으면
완벽하게 살았다고 할 수 있다
나의 비즈니스적 관계들에서 성립된 사람들은
죽고 나면 잊혀 질 사람들이니
내가 지금 그 사람들에게 얽매여 있다면
신경 쓰지 말고 나의 삶을 살아가라고
내가 살아 나가면서 할 수 있는 일은
이게 최선인 거라고 나에게 말한다
오늘도 너는 수고했고
살아 나가기 위해 살았다

앞으로도 그렇게 살아 나가다
내가 병들고 지쳤을 때 그때 떠나가면 된다고
나 자신에게 새기며 오늘의 새벽도 눈을 감았다

"내가 낙담할 수 밖에 없던 이유."

그대는 감정이 유입된 파도같아

나에게 휴식이란 없다
그저 살아가는 것 만이
나를 숨쉬게 하는 휴식이었는데
그 숨이 희어졌다

밤의 눈이 하얘졌다
그저 황야를 거닐다 잠든다
나의 꿈속에서도 허우적 대는 난
아직 유영중인건가

희미해져 가는 빛이 꺼질 때는
나도 어떻게 해야 하는지 모른다
아픔을 안고 살아가는 당신들을
위로하는 방법도 나는 모른다

그저 나만의 방식으로
살아 나가야 하는 게
이 세상 방식이라고 했다

아픔이 오가기 전까지의
얼마나 많은 상황들이
날 짓눌렀을까를 생각하며
오늘의 나를 회상하면서

그렇게 하루를 마무리하면 된다

그저 우리는 아무렇지 않은 척
괜찮은 척, 애써 견디는 척
그냥 척을 하면 된다

그대를 바라보고 있으면
너울이 넘쳐 흘려요

그대는 감정이 유입된 파도 같아

나를 아프지 않게 감싸 안아줄래요?

그러면 우리는 언젠가 하나가 되어
서로의 아픔을 안아줄 수 있을거야
그러다 서로가 필요 없어지면
넘치는 너울에 빨려 들어가
숨을 거두면 돼요

너무 우울해지지 마요
너무 감정적이지 마요

살아가는 내내 나를 잘 알아야
우리가 하나가 되는 순간에
서로에게 집중할 수 있어요

우리 그저 그렇게 함께할 날만을 상상해요

"파도의 너울에 함께 쓸려나갔으면 좋겠어."

세상을 편애하는 나로 살아가는 것에 부끄러움을 가지지 않아요.

나는 나대로 살고 있어요.

그러니 그 삶을 망치려거든, 날 먼저 죽이러 오세요.

내 성은 무너지지 않아요,
누군가가 지켜주고 있는걸요.

때로는 삶에 지쳐 삶을 포기하고 싶은 순간에도.

나는 나답게 살고 있다는 점들을 빌미로
또 살아 나가요.

아픔을 아픔으로만 간직했으면 좋겠어요.

그래야 내 삶이 온전히 나의 것이 되니까요.

날 감싸 안아주세요,
솔직한 마음에 매료되어 보자구요.

나는 당신을 기다리지 않아요.

나를 기다리는 건 당신이어야 해요.

우리는 서로를 그리워하다
그렇게 애틋함에 사로잡힐거에요.

내가 선뜻 당신에게 마음을 주지 않는 이유는.

나중에 날 보는 내가 상처 받을까봐.

그래서 난 당신을 마음에 품을 수가 없어요.

그러니 내가 질리거든 마음을 주지 말아주어요.

처참히 나를 망가뜨려 놓으세요.

그에 대한 미련이 남지 않게끔 말이죠.

내가 정을 준 상대들은
그 정이 당연한 건 줄 알고 있어요.

내가 살아가는 세계들은 힘겹고도 무서워요.

날 억압하는 도시의 밤은 차가워요.

너무 차디찬 공기에 내 마음이 아려와요.

딸려 오는 순간들은 빠지지 않는 무지개틀 같아요.

나는 맘 편히 내 속 고민을 털어놓을 사람이 필요해요.

틀에 박힌 마음속을 해방시켜 주세요.

매끄러워져 촉촉한 사람이 되어볼래요.

행성이 보존되어 있는 우주는 안전할까요?

그 우주가 나의 것이라는 것은 변함없어요.

그 우주에 떠나 드는 내가 되고 싶어요.

높은 산을 올라가야 하는 나를 담은 편지

나는 녹색 산을 올라가야 하는 사람
당신은 그런 나를 짊어져야 하는 사람
당신만은 나를 포기 하지 말아주어요
나는 내 삶을 포기했으니 당신이 날 짊어져줘요
당신의 청춘을 위해 내가 바친 삶까지 책임져줘요
나의 아픔도, 당신의 아픔도 내가 먹어 버렸어요
나 자신을 지키기 위해
날 갯벌에 빠지지 않게 하기 위해
얼마나 많은 수모를 당하며 지켜내온 것들을 아시나요
당신은 나를 잘 몰라요 왜냐하면
나도 날 잘 모르기 때문에요
우리 해가 저무는 날에는 안온한 밤을 만끽해봐요
아프지 않고 우리 둘만 영원할 수 있는
그런 삶을 말이죠
나는 이제 모든 상황과 세계가 체념되었어요
모든 하늘이 붉게 물드는 노을이 만들어질 때는
나를 아프게 한 상대방을 더 아프게 할래요
내가 왜 살아 나가야 하는지 이유를 모르겠어요
지금의 나는 나한테 지쳐있는 사람이에요
이렇게 살아내어서 나에게 주어지는 것은 무엇인가요
명예인가요, 행복인가요 정답을 알려 주세요

눈을 편히 감고 싶어도 감을 수가 없네요
나는 나에게 실망만 안겨줬나 봐요
나는 높은 산을 올라가야만 하는 사람

"실망한 마음에 눈을 감아야 한다면,“

푸른 바다를 여행하는 삶

평안한 마음을 가지고 살아가고 싶어요
평온한 마음에 할애하고 싶어요
소중한 것들을 포기하여 선뜻 내어줄 수 있을 만큼
나는 나의 시간이 필요한걸요
날 버리지 말아주세요
날 버리지 않고 가지고 있어 준다면
나의 모든 것들을 나눠줄게요
그대들이 날 싫어하는 감정이 눈에 띄여요
그래도 그 마음을 내가 알게 하지 말아주세요
내가 오해하고 있는 것이라고
생각할 수 있게 만들어주세요
나는 푸른 바다를 자유롭게 여행하며
남은 나의 모든 삶을 그 바다에 던지고 올래요
그대들을 바다에 던져 잊어버리고
새로운 삶을 얻을래요
마음을 더하면 두 배가 된다는 것은 거짓말인가요
나는 마음을 얻지 못해서 결핍 되어있는 사람인가요
모든 곳을 여행하고 나를 알게 되는 날
잊어버렸던 당신들을 떠올리며 다시 날 사랑할래요
그대들이 나의 삶의 일부분이 되어 줄게 아니잖아요
간절히 원한 당신들의 관심에 대한 나의 마음은
그대들이 내 손을 떠나 날 버린 이후로 식어 버렸어요
나의 마음은 버림 받아도 되는 마음인가요

파랑색 바다에 잿빛 가루를 뿌려버리면
나는 그 색을 주워담을 수 없어요
내 마음의 휴식은 평생 필요할거에요
그대들도 휴식이 필요한가요
주변 인물들을 떠나보내세요
나의 삶은 누군가의 손을 놓는 것부터 시작되었어요
엄마의 손을 놓으면서 내가 어른이 되었고
친구의 손을 놓으면서 내가 성장했고
날 울게 한 사람의 손을 놓으며 내가 아팠어요
이제는 지친 마음을 달래기 위해
모든 예쁜 것들을 담아내고
아픈 것들을 비워낼거에요
그러니 날 거둘 생각이라면
나와 함께 푸른 바다를 여행하는 삶을 보내요

"푸른 바다를 항해하며, 날 구해요."

마음이 무너지고 있다는 증거

날것의 감정에 휘둘렸다
오른 손목이 감정에 실려 잘려 나갔다
아픔을 이고 살아가야 하는 게 두려웠다
아무도 살지 않는 그런 곳으로
두서없이, 생각 없이, 떠나버렸다
전파가 터지지 않아 연락이 닿지 않으니
나의 답답했던 삶이 탁 트여버렸다
헛기침이 나오던 입이 말문이 트여버렸다
사람이 정말로 지치면 이런 감정에 지배되나
인간이란 게 참 여러모로 어렵다
날 이해 하는데도 참 오랜 시간이 걸렸는데
남은 삶을 살아내면서 남을 이해해야한다니
앞을 보지 못하며 살아내고 싶었다
우린 그렇게 두서없이 행동하고 싶었을테다
긴급 전화만 가능한 삶이 어쩌면
내 삶의 적색 신호가 아닐까 싶었고
아파도 아프다고 하질 못하는 게
이 나라에서 사는 법이였다
우리의 밤은 우리가 만들어야 하는 삶이였다
살아내는 게 힘들어 수명을 단축 시켜도
머리카락은 계속 자란다
죽고 싶어도 죽을 수 없는 숙명인가보다
비밀리에 남들에게 나의 비밀을 말해볼까 싶다

그 사람들이 눈을 어떻게 뜰지가 궁금했다
마음은 무너질수록 단단해진다
그래서 나는 날 무너뜨리기로 했다
증오하는 감정만 남겨두고
내 삶을 완전하게 무너뜨릴거다
나는 이제 감정이 없다
나를 보며 심장의 손길을 내밀어도
난 이제 그들을 도와줄 수가 없다
그들이 날 내버려둔 것 처럼
나도 그들을 내버려 두고 날 이해하게 할 거다
꿈속에서 허우적대며 침대 위를 달렸다
아직 나에게 자책감이 남아있었다
그들을 구하라고 명령했다
구원의 손길을 내어 보이라 했다
조심히 상자를 열었을 땐
나에게 독기는 완전히 사라졌다
검은 장막이 사라지고는
내 마음이 무너진 증거를 찾아내려 했다
난 날 들춰내 보이는 것이 부끄러워
나의 모든 것들을 숨겼다
언젠간 다 드러날 것들이었는데
정말로 난 내가 알려지는 게 두려웠다
살아내는 동안에 나에게 거짓된 단 한 가지가
날 매일 불안하게 했다
내 감정이 두터웠으면 이런 자책 따윈 없었을 텐데
내 허무한 관계들이 날 끊어냈다

날 잊고 살아라
날 기억하지 말아라
진흙탕을 밟으며 내 순간을 지워라
마음의 벽은 그렇게 쌓여만 갔다

"마음은 무너질 수록 더 강해져."

평안한 소식

내 여름은 추웠다
한없이 추워 버렸다
감기는 눈에 팔을 내어줬다
한쪽 팔이 없어 당장 나의 앞길이 희미해진 게
잘 살아 내어갈 수 있을까
궁금하다 나는 잘 사는가
내가 할 수 있는 게 있는가
누군가가 만들어 놓은 삶에 발을 디디지 않았는가
매마른 가지 나무에 동그랗게 몸을 말았다
숲으로 둔갑한 채로 살아 나갔다
일 년에 한번 지점을 바꿔 살아 나갔다
바다의 지점, 우물의 지점
의미 없는 말에 내 입술을 내어줬다
한없이 떨구어지는 내 눈알을 주웠다
주머니에 넣고선 사탕처럼
나에게 호의를 베푼 사람들에게 나누었다
어느 날은 내 소식이 뭉개졌다
묻지 않는 말은 대답할 가치가 없었다
조용히 있는 내것들이 잘 살아있나
궁금하다 그들은 잘 사는가
돌아서면 죽어있는 그들은 평안한가
궁금증에 독을 삼켰다
독을 품은 나는 말라버렸다

그저 흘러가는 뉘앙스에 몸을 내어줬다
난 뭘 자꾸 줘버리는 걸까
앞길이 막막하여 적막이었는데
흐린 색이 섞여 잿빛 핏물로 바뀌었다
그들이 살아 나가는 방식을 습득했다
인간은 배움의 터에서 머릿수가 커진다
꽉 찬 머리가 터지기 일보 직전에 비워내
바보가 되기 전에 다시 돌아온다
기억하고 싶지 않은 것을 기억하지 않는 게
인간이라 하였다
나는 쉴 새 없이 일을 했다
노동의 길에 발을 헛디뎠다
몸이 조금씩 깎여나갔다
조각상이었다
나는 추상적인 게 좋았다
내가 해석하고 싶은 대로 해석하면
그게 이야기가 된다
평안한 소식을 나에게 건내어줬으면 좋겠다
앞길에 걸림돌이 부서져 버리게

"나의 삶에는 부질없는 것들이 많아서."

free show

나의 꿈에 만리장성이 쌓였다
높이만 길었던 벽이, 길이도 길어져
내 마음을 넓혀갔다
나를 숨기는 것에 대해
궁금해 하지 말아주어요
모든 것은 베일에 감춰져 있을 때가 예쁜 법이니까
나는 나를 잘 모르니
당신은 나를 몰라요
알수록 다치는 마음과 감정들은 메꿀 수가 없다
그러니 나를 더 처참히 밟아요
중요한 것은 나를 위한 감정만 살아 있어주면
나를 위한 것이 되니까요
또 날 얽매이게 해요
그럼 우린 푸르른 숲에서 만날 수 있을 거니까
억압 받는 세상도, 날 울게 하는 마음도
이제는 지쳐버린 날들이 밉다
나를 지치게 하고, 그러고는 살라고 해줘요
나를 아프게 하는 것들은, 모두 사라져주세요
마음이 아파 우는 일도
그로 인해 내가 죽는 일도 없었으면 좋겠다
이기적인 삶에 돌덩이가 되어버리지 마세요
던져 놓은 마음은 다시 쉽사리 주워지지 않으니까요
그러니 나를 살게 해요

그리곤 나의 눈동자에 건배를 해주세요
내가 휴식을 취할 날이 올 때까지
그날들을 잃지 않고 기억할 거니까
내가 너의 유일한 문장이 되게 해주세요
너를 싫어하는 감정이 맴돌지 않게 말이에요
나는 기다릴 수 있는 최대의 감정을 나누었다
눈은 계속 감기지만 나는 행복할 수 없었다
너를 사랑할 수 있는 마음이 영원했으면 좋겠어요
항상 너의 마음에 별이 될 수 있기를 바래요
한쪽 눈에서는 경멸의 시선이 나오는데
반대쪽 눈에서는 왜 눈물이 나오나요
알 수 없는 감정들은 나를 감싸 보내고
너와 함께 할 수 없는 시간은 너무 아까웠다
나를 위해 시간을 조금만 내어줘요
감정을 낭비하는 날은
내가 집으로 가야 할 빌미를 만들었다
나는 그렇게 너덜한 채로 하루를 마무리 했다

"날 알아주는 것들에 감사해요."

바닷배

그대가 살아 숨 쉬는 곳에 나도 함께 할래요
그저 날 버리고 떠나가지만 말아주세요

파도가 유입되어 쓰나미처럼 왔다가도
불 그을림에 다시 사그라드는 당신은 온전한가요?

파란 바다를 유영해요
같이

유동성 있게
그렇게 함께 흘러가요

인간관계란
한도 끝도 없는 실 같아요

잃고 싶지 않은 사람들이 있는데도
그 사람들은 나의 손을 떠나
다른 실에 엮여 살아가요

돌돌 말려져 있는 실처럼
나도 쓸모있는 사람이 되고 싶은데
공감할 수 없는 마음들은
감사히 여겨지지도 못한다고

마음을 짓누르고 간다

실이 바다에 동동 떠다닌다
자유롭게 여행하고 있는가 보다
자유롭게 생각해주었으면 좋겠다

저 실 뭉텅이는 잠식되어도 좋은건가
아니면 자신만의 휴식을 취하는 걸까
아니라면 삶을 포기하고
어느 것에 삼켜져 버리는 건가
순간을 소중히 여기지 않으면
아무 의미가 없어진다

우리는 노를 저어 항해해야만 한다
바닷배를 타고 둥둥 떠내려가다
삶의 종착지가 오면
선박에서 내려 또 다른 개척지를 만들어야 한다

그렇지만 모진 말들을
다 주워 담을 순 없는것 처럼
스트레스를 받았다면
삶에 치우쳐 보는 것도 좋다

그래도 날 아껴주는 것들에게
소홀해지지 말아요
그들이 날 사랑해주는 순간은

잠시뿐일테니
날 사랑 받는 것에 당연하다는 감정을
항상 지니고 살아야 한다

"파도를 유영하는 삶."

불안한 죽음들을 맞이한다는 일

이러지도 저러지도 못하는 감정들에 지배되지 않을래요
내가 아픈 감정에 헤어 나오지 못한다면
날 꺼내 주세요

그대의 삶이 지치고 힘들지언정
나를 한 번만 더 돌아봐 주세요
누군가가 날 손지검 한다면
그 사람에게 맞설 수 있는 사람이 되고 싶어요

나에게 죽음을 주세요
그래야 만이 우리가 평안하게 살아갈 희망이에요
날 더 불안 속에서 살아가게 하지 마세요

우린 파도가 헤엄치는 그을음에 타 죽을 거에요

두 눈을 감고 꿈 속을 여행할 수만 있다면
나는 그 작은 기쁨이 날 또 웃게 할 거에요

아프지 않고 살아갈 수 있게 해주세요
나에게 꿈 같은 시간 들을 주세요

내가 소외감을 느끼는 때가 왔어요
삶이 나를 짓누르며 너는 혼자 지내라고 하네요

그래서 나는 나답게 살기로 했어요

나를 대하는 방법 3가지

절대로 나에게 정을 주지 말 것
다가가지 말 것
모든 순간에 상처를 줄 것

그래야 만이 내가 편안하고
조율있게 살아갈 수 있을 것만 같아요

날 죽음으로 내모세요
영원히요

"불멸의 화신도 언젠가 죽게 되어 있어."

세상의 편견

날 바라보는 시선에 경멸을 두지 말아주세요
세상을 편견 있는 시선으로 바라보는
당신의 눈을 붉게 물들일거에요
소중한 것들은 사라지지 않아요
내가 지키고 싶은 모든 것들은
내 품 안으로 들어와있어요
그저 그렇게 우리만 살아가면 돼요
안개가 자욱한 새벽에는
차가운 공기가 살결에 닿으면서
온몸이 파르르 떨리네요
그대들도 마음의 상처를 받아
춥지 않았으면 좋겠어요
아픈 것이 외부적인 것이 아니라
물질적인 것이기만 하면 좋겠어요
여백을 두는 것이 삶을 편안하게
지나 보낼 수 있는 큰 행복이랍니다
나에게 행복을 불러 주세요

"내가 할 수 있는 것은 당신을 실패시키는 것."

눈에 담길 만큼의
작은 유리 조각이라도

까맣던 하늘에 비춰질 수 있게
나를 다듬고 깎아서
누군가의 아픔 마저도
괴롭혀지던 상황들을 아프지 않게 해

제 6장 청춘의 끝자락

네가 보낼 청춘은
죽기 직전까지의 삶이야

우리의 고요함을
내일에게 선물하자

Je suis votre papillon

내가 원하는 걸 가질 수 없다는 것을
깨달았던 시점은, 지독한 우울을 잡은 상태였다

심하게 마음이 컨트롤이 되지 않았을때는
나의 인테리어를 마음대로 뒤집어 놓았다
엎어놓고, 무너뜨리고, 삶의 변질적인 것들을
송두리째 나의 성으로 지어내 보았다

흔들리는 감정을 시소에 빗대어
그녀는 그렇게 말을 했다
평평한 시소에 누군가가 날아와 앉으면
어느 한쪽이 기울기 마련이다
그러므로 우린 혼자가 아닌
누군가와 함께하는 삶을
이질적인 것으로 두어야 한다고 말했다
혼자서 솟구쳐있는 것이 아닌
또 다른 누군가를 앉혀 평형을 유지해주어야
그래야 비로소 내 마음이 온전해지니까

날 사랑하는 것에 허튼 감정으로
날 더럽히지 말아 줘요
그대의 모든 모순적인 말들이
나에겐 불멸적인 악일테니

날 먹어버려도 좋으니
사랑한다는 말을 접어둬요

모든 순간들이 감정적이게 변하는
많은 상황들에는 항상 피곤함이 몰려온다
그 상황을 도피하기 위해
나비의 효과를 불러온다
가만히 눈만 파르르 거리고 있는 나는
바짝 매마르기만 한 눈으로
날 바라보는 것과, 상대방을 바라보는 것으로
유종의 미를 거두었다

지독하게 마음을 거닐었던
그날의 밤은 더우며, 습하고, 추웠다
추웠던 것은 내 마음이 텅텅 비어서 그런건가
완벽하게 모든 관계를 정리하곤
또다시 새로운 삶을 물어온 나비
나풀나풀 날아온 나비가 어깨에 안착하곤
내 목이 남아나질 않게 아팠다

그만 날 옥죄여오세요
조금만이라도 날 생각해주세요

그러면 우리는 언젠가 인연으로라도
발길이 닿는 어디에선가로
마주칠 수 있을거에요

"나는 당신의 나비입니다."

감정을 지배 당하기만 하는 공허한 세상

사람이 느끼는 슬픔은 동일하고
어떤 물질적인 것들에서 오는 눈물은
다 똑같다

다르면서도 똑같은 아픔일 수 밖에

열이면 열, 백이면 백
다른 고통을 받더라도 똑같이 슬픈건 같다
버텨낸다는 것 자체가 나에게는 이젠
너무 지치고 스트레스가 아닌가 싶었다

한평생을 하고 싶지 않아도
견뎌내고, 버텨내고 살아온게
너무 큰 의미가 부여되는 것 자체도
이젠 싫어진 단계였다

어떤 트라우마로 인해 결벽증 같은게 생긴다
요즘 나에게서 구린내가 난다고
하루 종일 이야기를 했다
모든 사람들은 나에게서 좋은 향기가 난다고 한다

내 마음이 두터워져서
마음이 병들어서
내 후각도 병들었나 싶었다

좋게 생각해봐야지
좋게 살아야지
좋은 행동만 해야지
세뇌하고 뇌리를 박아놓아도
항상 나에게는 물 비린내만 나는 것 같았다

어짜피 결과물은 나에게 똑같으니까

스스로의 아픔은
스스로 해결해야 한다고 배웠는데
그렇게 알고 그렇게 행동했는데
이제는 한계점이 온다

정신줄을 여기서 조금만 더 놓으면
큰 문제가 생길 것 같아서 두렵다

나에게 너무 가혹한 해를 끼치고 있는건 아닐지
아니면 누군가에게 해를 끼치진 않을지

날 열망해요
당신을 열망 할 수 없는
나를 미워할 수 밖에 없는

그대를 바라보기만 하는
멀리서 바라보기만 하는

건들일 수도 없고
만질 수도 없고
해를 가할 수도 없는

날 사랑해요

"모든 상황은 나를 더 우울하게 해."

Alive

날 저 멀리에 팔아 넘겨요

세상이 멸망하더라도
당신은 날 열망해요

당신의 기준이 곧 이은 나의 기준이 돼요

죽음을 불러오더라도
나의 행복한 마음까지는 가져가지 마세요

우리의 농도는 비율적으로 계산할 수 없어요

하루를 머금어 내일이 되어도
눈물을 머금어 날 참아내어도
팔아넘길 수 있는 나의 조각은
오늘도 부족했어요

내 감정의 조각을 팔아요

나의 행복은 채워나가면 나갈수록 팔려나가요
조금의 슬픔이 내 감정 주머니를 채우면

난 날 팔 수 없는 쓰레기가 되어버리네요

날 죽음으로 내몰아도
나의 모든 것을 당신들에게 나눠주고
나의 희열을 위해 바칠게요

그러니 날 빗자루처럼 사용하세요
그대들을 쓸어넘겨 내 하루를 채워나가게

"할 수 있는 한, 날 너의 것으로 만들어."

모든 삶이 다 특별하지 않아도 돼

너의 삶이 완벽하지 않았다고
나를 자책할 필요 없다
그 누구도 나를 원망하지도 탓하지도 않는다
무너지는 마음에 심장을
내어줄 수 있을 만큼
얕잡은 손이 타오르도록
날 수용할 수 있게 살아 나가야 한다
정말 모든 사람이 날 사랑할 순 없지만
어떤 사람들을 그렇게
만드는 것까진 가능하지 않는가
타오르는 손끝에 나를 열망하더라도
내 손가락을 잘라내고선
다시 손바닥을 타오르게 할 수 있는
그런 뜨거운 사랑을 나에게 오게 해라
모든 삶은 특별하지 않아도 된다
그치만 특별한 인생을 살아보지 못하였다면
그 삶은 끝내 마감해도 되는 인생인가 싶다
누군가에게는 거지 같았을 인생을
누군가에겐 행복만이 가득한 인생을
나에겐 주옥같은 악착감을 남겨놓은 이 생을
어느 누군가는 절단해주어야 한다
내가 눈을 감아도 앞이 보이는 세상이 오면
덧 없는 삶을 살았다 할 수 있다

행복만이 남은 삶은
모든 불행이 잠식된 시한폭탄이니
나는 지금의 이 생이 완전히
우리가 누릴 수 있는 행복이 아닌가 싶다
삶은 누구에게나 공평하고 평형하다
그치만 철저한 계급 사회에 찌들어 있는
우리는 안전한가
건들면 터지고 놔두면 썩어 문드러지는
그런 비합리적인 인생에서
나를 탓하지 않을 수 없고
자책하지 않는 인생을 살아가지 않을 수 없다
그렇지만 나를 뭉개뜨리고
처참히 밟아버리는 순간
나 뿐만 아니라 나의 가족마저
내가 아프게 하는 셈이 되어버린다
우리는 살아가면서
슬픔을 묻어버리는 방법을 배운다
좋은 어른은 나이가 어린 사람에게
지혜를 주는 사람이고
나쁜 어른은 보고도 방관하는 사람이다
근데 이런 말에 정답이 없다는 것이
나는 너무나도 슬프고 안타까울 수 밖에 없다
하루가 정말 마지막인 사람들에게는
저런 말 따윈 중요하지 않으니 말이다
행복을 찾아가는 길 또한
내가 알아나가야 하는 어려운 세상

눈물이 앞을 가려도 흘려낼 수 없는 것
사람을 대하는 일도
죽음을 대하는 일도
날 대하는 일도
모두 그냥 날 방관했으면 하는 마음이다
특별한 삶이 없었다면
특별한 삶을 만들어 나가는
그런 길을 걸어 나가보자
어느 순간 그 길을 걷다가 마주친 사람이
나의 평생의 반려인이 되고
나의 슬픔을 안아줄 수 있는 사람이 될테니까
모든 삶이 다 특별하진 않아도 된다

"너의 삶은 나의 삶보다는 행복하기를,“

마지막 미지의 숨겨진 영역

숨겨놓은 마음을 찾으러
미지의 숲을 파해치러 가요

난 그 숲을 훼방시키고
내 마음을 찾을거에요

하나둘씩 날아다니는 까마귀는
날 재촉하며 살아 나가라고 쪼아대고
주둔하던 무리들은 배앓이에
나의 손길을 원하고 있어요

길을 걷다 마주친 나무꾼은
나에게 나이테를 보여줬어요

이게 내가 살아낼 수명이래요

내가 오늘 이 위험한 숲에 들어와서
고작 알아낸 거라곤
내가 언제 죽을지
내가 언제까지 살지
그리고 내가 가진 용기였어요

아무도 이 음침한 숲에

발을 디딜거라고
상상도 못했을텐데

나의 죽음은 너무 하찮고 널려있어서
나의 수명은 너무나 길고 답답해서
마음이 아파하는 사이에
내 숨도 희어져
숨을 거두어버렸다

아픔을 이겨내는 법을 까먹은 나는
그와의 싸움에서 져버려
다시 구생할 수 없이
그 사이를 걸어들어가
나에게 한번 더 기회를 주었다

"숨겨진 나를 찾아내야해.“

내가 이겨낼 수 없는 것들이 있다면 이런 것들일까

오늘도 나아지고 있다고 생각했는데
나만 그렇게 생각한건지
사람들은 나를 보고 삿대질을 하더래요

눈물이 매마른 줄 알았고
날 알아낸 줄 알았는데
누군가가 나를 만나서
아파하게 된 모습이
내가 잘못 된 행동을 하고 있다고
생각 할 수 있는 발판을 놓아주었더래요

나는 최선을 다했다고 생각했는데
모든게 누락 되어버려서
내가 공들여 쓴 시간에 흠집이 가버린게
내 마음이 나에게 말한 것들도
같이 무시 받는 것 같아서 슬펐다

누구에게 인정 받아야 하는 것이
너무나도 비참한 이 삶에서
속도가 느려진다고 판단된다면
그건 시대가 변했기 때문이다 라고

말해주고 싶었던 게 아닐까

자신을 가꾸고 변화시키는 건
자신만이 할 수 있는 일이지
남이 자신을 인정해주고
이해하기를 바라면 안돼요

우리는 누구나 가진 수족냉증처럼
차가운 공기 바닥에 깔려있어도
삶을 비판하더라도 다시 용기를 가지며
부름에 응하고 도전을 외쳐야 한다
눈이 감기더라도

이렇게 노력을 했는데도 불구하고
인생의 변환점이 보이지 않는다면
그때는 정말, 그제서야 정말
너만의 인생을 살길 바랄게

누군가가 만들어주는 삶이 아닌
네가 살고 싶은 삶
돈이 없어도 좋아, 부자가 아니어도 좋아
공주님이 될 수 없어도
그를 위한 단 한 사람이 되지 않아도 돼

상처를 받으며 살 이유도
덧없는 삶을 위해 노력하지 않아도 돼

이 세상엔 원래 네가 이길 수 없는 것들이
다반사일 테고 그게 정상일 테니까
너무 자책 하진 마

그러다 네가 너무 아깝다 생각이 들면
그제서야 나를 좀 바라봐주겠니?
너의 앞길을 만들어준 나를 한번만 구해줘
동굴같은 네 인생에 끼어들지 않을테니
죽어가는 피폐해진 날 발견했다면
네가 널 죽여가며 했던 행동들의 절반만이라도
나에게 용기를 주렴

달빛이 서늘해질 때 나의 우울은
잠적하듯 그림자를 감출 거야

"나아지고 있다고 생각한 내가 바보였지."

나는 네 눈에서 타오른 재를
파도에 흘려보내는 것을 보았다

당신의 눈빛만 봐도 홀릴 듯이 빨려 들어가는
내 눈에서는 눈물만 흘러 나와요

그대들이 만들어낸 허상이
내 새벽을 불러냈으니까요

그러니 그만 날 외롭게 해요

마음을 주고 다시 날 아프게 하는데
나는 도저히 구분할 수 없는데
혼자만의 강박에 틀이 잡힌건가요

요즘 나는 항상 즈레 웃어요
이 기쁨은 환희가 아니라 악의래요
먼 바다를 바라보다 사라질래요

어느 날은 하늘에 떠 있는 노을을 보며
"아, 저게 내 모습이랑 닮아있구나."
하던 날이 있더래요

그리고 나선 그 노을이 지나가는 자리를

곱게 즈려 밟았어요
노을이 지고 밤이 오니까
그제서야 내 봄 같은 모습이 사라지고
아픈 기억들만 새록새록 생각나더래요

이름 모를 그리움이 생기는 계절에는
인적이 드문 곳으로 찾아가
나를 더 알게 할 생각이에요

그들이 원래 알던 내 모습과는 다른
그런 감성이 생기는 곳으로

눈물은 매일 같이 흐르는데
아직도 개운해지지 못한 내 마음은
왜 이러는 걸까요

사람이 지나다니던,
누군가와 함께 있던,
행복이 자리 잡은 곳이 있던,

내 마음은 그늘져 있었어요

그들을 알아가려고 하지도 않았구요

내 죽음은 온전히 나를 위한 것
남을 위해 바치는 일은 없을거에요

내가 흘린 눈물을 모두 모아서
나에게 소중했던 몇 안되는 사람들을 위해
그들이 힘들 때 편안해질 수 있는
그런 마법의 물약을 만들어 보일거에요

당신의 눈을 쳐다보았을 때
타오른 재가 나의 노을이 지는 하늘에
휘날리고 있었으니까요

그 바다는 내가 될 수 없어요
내가 흘린 눈물을 바다로 보낼 수가 없었어요
경멸의 재는 파도와 뒤섞여
죽어있는 나마저 아프게 만들테니까요

우리는 모두 편안해지려고 노력해봐요
삶이 완전하진 않아도 온전하게끔
자신을 보존시켜봐요

흐르는 눈물을 닦아줄 순 없어도
내가 당신을 위해 이 글을 바칠게요

눈물이 나오는 순간엔
이 공기가 감싼 날 찾아와요

"타오른 재는 바닷물과 섞여버렸다."

그 사람의 향기가
날 웃게하기도 했다

질량 보존의 법칙
그것은 나와 그만 아는 비밀스러운 말이다

누가 알아서도 안되고
이 비밀이 세상에 밝혀지면 안되며
나와 그의 허락 하에
세상에 나올 수 있는 그런 단어다

나는 두서없이 말을 내뱉었다
그 말 한마디로 인해 그를 잃었다
하지만 그 말 한마디를 바꿔
다시 그가 날 찾아오게 만들었다

삶이 지치고 힘들 땐
그가 만든 향기가 날 웃게 했다
입꼬리가 저절로 올라가며
미소가 지어지는 그런 향기
나는 주체할 수 없는 웃음에
내 심장도 내어주었다
그 심장이 불러올 일을 초래하지 못한채로
나는 잠에 들어버렸다

이 순간을 가끔 떠올리게 되면
나는 사흘을 나흘을 뜬 눈으로
밤을 지새우곤 한다
나는 잠을 잘 자격도 없다며 말이다

내 이야기가 항상 슬픈 이유는
내 삶이 완벽하지 않아서이다
누구나 완벽한 삶을 꿈꾸지만
그렇지 못하게 살아간다

나는 완벽주의자이다
그렇기에 고로 내 삶은 완벽해야 했다

그 삶을 금가게 한 사람들이 생겨났다
그때는 그 일들이 닥치고선
어쩔 줄 몰라 산만했다
닥치고 나서 후회가 될 때 쯤에야
아 내가 또 모든 사람들에게
너무 쉽게 마음을 주고 정을 붙혔구나
그런 후회를 마구잡이로 했다

상처를 받는 건 내가 아닌 것 같았다
나와 아는 체 하는 사람들에게,
내가 그 사람들에게 상처를 주는 것만 같았다

내가 우울할 자격이 있을까 싶다가도
향기에 이끌려 간 장소에는
항상 그가 날 반갑게 맞이했다

어느 날은 구 안에 갇힌 그를
내가 구하기도 했다
그러더니 내 머리카락이 모두 빠져버렸다
피를 토해냈고 온몸이 새파랗게 질려있었다
빼려고 해도 빠지질 않던 살이
하루 아침에 야윈 사람으로 바뀌어 있었다
누구도 날 그렇게 만들 생각은 없었을테다
내가 좋아한, 내가 사랑한 그를 구하기 위해
그 구를 깨부숴버린 나의 잘못이다
비유를 하자면, 내 삶이 무너진 것과 같을까

행복하지만은 않았던 내 20대가
웃을 날 조차 희미했던 내 삶이
이 향기 하나로 인해 완전히 사라져
내 청춘이 날라가버렸다

나는 그래도 날 미워할 수가 없다
열심히 살아온 내가 안쓰럽다
이번 생에서는 날 알아주던 것들에게
감사를 표하며 마무리 해야하는 것인가

감정이 혼란스러워 나아지지 않을 땐

나는 이제 어떻게 해결해야 하는건가

들푸른 초원에 누워
날 찾는 것들만을 위해 살아가야 하는건가

그 무엇도 인생의 정답은 없다
누구에게나 행복의 길은 다르니까

나의 이번 생에서는 행복이 아닌 향기가
나의 사리사욕을 채워준게 아닐까

행복을 위해 그를 버리고 떠나버린
난 이기적이었다

"나에게도 온전한 삶을 줘."

우리가 함께 할 수 없는 것들이 있다면

비가 내리는 날에 창문에 걸터앉아 우박이 툭툭 떨어지는 소리가 아닌 추적추적 내리는 빗소리를 하루 종일 듣고 싶었다 눈이 오는 날에는 눈싸움이 아닌 그 눈을 밟으면 나는 뽀득뽀득 거리는 소리를 듣고 싶었다 가을이 오면 밤이 톡톡 떨어지는 소리와 낙엽을 밟아 파스락 거리는 소리를 듣고 싶었다 여름이 오면 매미의 울음 소리가 아닌 바다의 파도가 일렁이는 소리를 듣고 싶었다 모든 게 했다가 아니라 하고 싶었다로 끝나버리는 말들이 낭만 없다고 생각이 든다면 그게 아마도 정답일거다 아무도 재촉하지 않았고 완연했다 우리는 마음이 죽어버렸다 살려낼 수 없이 저 멀리에 떠나버렸다 아픔이 생겨나 버려서 함께 살아가기 싫다며 떠나버렸다 차오르는 감정을 억누를 땐 나보다 더 큰 아픔으로 누르는 것이라고 했다 첫 번째 밤은 상상을 할 수 있음에 행복했으면서도 현실로 이뤄질 수 없다는 것을 직시한 뒤부터는 암울했다

나는 네가 불러낸 이름이다 그 이름이 우리를 아프게 한다면 큰 실수였을 것이다 세상이 멸망했으면 좋겠다는 말에 인연이었고 우울을 빌미로 그려낸 허상이었다 오늘도 난 호소된 감정을 비우기 위해 감정을 눌러 글씨를 썼다 누구보다 더 난 어른스러운 사람이어야 했고 아이 같은

행동을 할 수 없었다 모든 날들이 부담스러웠다 인정받아야만 했고 작은 실수라도 용납받지 못한 내 삶이 더러웠다 우리는 저마다의 몰락 앞에 서 있었고 나는 작은 웃음으로 날 타락시킨 것들에게 미소 지어 보였다 앞이 보이지 않았다 숲속 오두막으로 날 이끌어냈다 그 안에 함께할 수 없는 사람들이 옹기종기 설여 있었다 나는 투명 인간이었나 그들의 눈에는 보이지 않는 건가 미래를 막아내고 싶었다 그렇게 허무하게 아무것도 해보지도 못한 채로 두 번째 밤이 지나갔다

우리는 언제 내다 버려지나 그들이 만들어낸 허구의 문맥에 갇혀 있지 않았는가 내가 사랑하는 것들에게 만들어낼 문장을 입을 열어 말로 내뱉었다 거울을 보며 웃음을 연습하는 사이코패스 같은 기분이었달까 추억 속에만 갇혀 있던 문제들이 하나둘씩 풀려가며 퍼즐처럼 인생에 맞춰지고 있을 때 나는 이미 퍼즐이 나눠진 곡선들처럼 구부러진 인생을 살아 나가고 있었다 누구도 날 이렇게 만들지 않았다 내 삶을 무너트릴 사람도 나고 날 아프게 한 사람도 나였다 근데 나는 남들에게 상처받아 아픈 척을 했다 그 누구에게도 믿게 하고 싶지는 않았는데 날 죽일 사람은 바로 당신이다

세 번째 밤은 존재하지 않았다 애초에 죽을 목숨이었던 사람이라면 첫 번째 밤으로 생을 마감해야 했지 않나 그렇게 하루아침에 죽을 나였다면 이미 진작에 죽었을 텐데 왜 날 아프게 하고 그 고통을 견뎌내며 무식하게 살아왔

을까 그게 당신과 나의 차이였다 당신과 나는 이미 걸어가고 있는 길조차 달라서 당신이 천국이라면 난 지옥이다 당신이 행복하다면 난 불행했기에 우리는 이루어질 수 없었다 서로 말조차 섞어낼 수 없는 인생이었기에 나는 외마디 외칠 기운이 없었다

"나는 네가 불러낸 이름이다."

sun nov

f

삶을 살아내는 나에게 실망한 하루. 심리가 불안정 하대도 난 내 감정에 deep하게 dive 할 수 있는 삶. 모든 순간이 절망적이고 다 포기해버리고 싶다는 생각. 나는 무얼 위해, 무엇을 해야하기에 이런 감정을 불태우는가. 난 왜 이 감정을 짓누르고 컨트롤 하는가에 대하여. 그냥 다 불태워버리고 내 분노를 표출해버린다면 이 세계가 교란될까.

s

살아 나간다. 악착같이 살아간다. 살아내서 모든 걸 토해낸 후에 죽을 거다. 지금 이 순간이 내게 고난과 역경이라면, 죽어서 내가 가야 할 지옥은 더 격정적이리. 오늘 나의 슬픔을 뒤로 미뤄두고, 앞으로의 삶의 원동력을 미루지 않았으면 좋겠다. 나는 언제쯤 행복해지려나. 나는 아직도 불안정하지 않는가. 내가 나를 이해하지 못하고, 내가 나를 믿지 못한다. 그냥 아프고만 싶다.

t

내 감정은 더 두터워졌다. 체념이란 걸 일깨워버렸고 힘듦을 무뎌지게 하는 방법을 깨우쳤다. 내 지금의 환경 끝자락에 서 있다. 나는 무슨 문제가 있는 사람 마냥 아무것도 못하고 불안해하고 있다. 하루는 나에게 너무 짧다.

나는 오늘도 나라는 사람으로 살아가는 나에게 칭찬을 해야만 했다. 요즘은 행복이 멀리 있다고만 느낀다. 도대체 내 삶이 어떻게 돌아가야 행복해지는지 모른다. 닥치는 대로, 할 수 있는 만큼의 나날을 살아간다. 내 하루를 조금이나마 빛내보려고 노력하는 그런 나에게 도움이 되는 무언가들이 손을 네어 줬으면 했다.

f
마음을 컨트롤 하는 방법을 알지 못해서 책을 닥치는 대로 읽고, 또 읽어냈다. 이 책들이 날 공감 시켜 주는건지, 내 마음을 이해 하는건지 날 자꾸만 울려댄다. 그냥 내 삶이 힘든건가. 그들의 삶이 힘든건 나에게 중요하지 않다. 이 글을 읽고 있는 사람들이 가진 말 못할 사정들에 의해 힘들다는 것을 알기 때문에 공감할 수 없다. 아니, 어쩌면 내 삶이 너무나 두터워져 힘겨운 감정이 날 얽매이게 하여금 포기란 것과 공감을 맞바꾼게 아닐까 싶다. 무력감과 우울감에 깊게 잠겨버렸다. 잠식해 버린걸까. 내 우울은 언제쯤 사라지려나. 외로운 감정이 나를 얽매이게 한다. 주변 사람들이 나를 둘러싸고 구를 만들면 내 아픔이 커져 배가 된다. 나에게 잘 대해주는 것들에게는 머지 않아 불신이 생긴다. 불확실성한 수신들에게 감정을 팔아넘기고 싶지도 않았다. 그래서 나는 요즘 조금은 걸러내 가고 있는 중이다. 어쩌면, 그냥 관계를 정리하고 있는 것일지도.

나는 사물에게도 공포심을 느꼈는데, 사람에게도 공포를

느껴야 하는 걸까. 조금은 거리를 두고 싶다. 적정한 선에서 나와의 맺음을 가질 때가 제일 편했다. 다 나아졌다고 생각했는데, 무의식에 사람을 피한다. 날 가라앉게 했다. 무사한 것으로 의미를 두려고 했는데, 끝이 난 내 꼴을 보니 서러움만 커져갔다.

S

피곤함이 무력감인건가, 무력감이 피곤함인건가. 하루 종일 침대와 한 몸이 된 사람처럼 아무것도 하지 않고, 그 무엇도 손을 대지 않았다. 쪼그려 앉아도 보고, 대자로 누워도 보고, 엎드려 있어도 보았다. 폰을 하지 않고 가만히 생각을 정리하며 보낸 시간은 하루. 하루는 나에게 뭘 원한걸까. 힘들다 라는 감정을 필사해보았다. 하루가, 매일이 우울한 나에게는 감정이 필요했다. 그 감정을 알게 된 후에는 또 그 시점이 된 나에게 우울했다. 모든 사람들이 나를 보고 수근대는 것만 같았다. 아니다 라고, 감정을 정리해봤는데도 나를 보며 웃는 것만 같은 기분이 들었다.

나를 함부로 대하는 것들에게 관대하지 말자. 근데 생각해보니, 날 함부로 대하는 것은 나였더라고. 상관 없다고 생각했는데, 이젠 아닌 것 같아서 신경만 쓰였다. 나에게서 비린내가 나든, 썩은 내가 나든 날 사랑해야만 했는데 감정이 억눌린 나는 그런 감정조차는 생각도 못 한다고. 왜 나는 날 사랑할 수가 없지? 나는 바보같이 또 데인 것에 또 데이고, 다 잃어버리고 나서야 내가 외로운지, 내가 아픈 건지 그제서야 날 알아버리는데. 날 일깨울 사람들은 어딨는건지. 날 찾거든 날 먼저 좀 알게 해주라. 늪에 빠진 날 먼저 좀 구해주라. 아프지 않게, 안아주고. 가슴이 답답하지 않게 좀 해주라.

S

상처 받을 걸 알면서도, 그들에게 또 괜한 기대심을 가져버렸다. 그 사람들에게 나는 그냥 관종이라는 생각이 박힌. 이 한마디로 정의가 가능한 사람일 테다. 안중에도 없는, 있어도 그만이고 없어도 그만인 사람. 나는 그냥 쥐 죽은 듯이 살아야지. 날 챙길때가 가장 아름답고 찬란한 인생인데. 내 주제에 인간관계는 무슨 얼어 죽을 일이다. 도움도 안되는 사람들일 텐데. 내가 포기하고 살아야지. 그 사람들에게 내가 그냥 정신병자 같아 보인대도, 난 그냥 정신병자는 아닌데? 난 너희들보다 우월한 정신병자다 라고 말할 수 있을 만큼 잘난 사람이 되어 보일테다. 날 위하는 사람, 날 진정으로 필요로 하는 사람, 나에게 잘 대해주는 사람들에게만 날 줄래. 앞으로는 헛된 기대조차 하지도 않을 셈이고, 그 누구에게도 함부로 내 마음 따윈 주는 일도 없을 테야. 이기적인 사람이라고 손가락질을 당한다 해도. 너흰 뭐가 잘나서 나를 손가락질 하냐며 내 삶을 손가락질 하려거든 널 먼저 가꾸고 남들에게 부러운 대상이 되고 난 뒤에 나야 날 아프게 하라고 말할 것이다.

"돌아오지 않을 내 청춘의 아픔."

unconsiousness

당신은 내가 앓다 간 자리의 쓸데없는 것. 우리는 그렇게 타고 난 재가 흩날리는 난로 속에서 타 죽을 것이다. 손을 놓은 건 나였을까, 당신이 흘려놓은 한 줌의 희망이었을까. 약에 취해 정상적으로 걸을 수 없을 만큼 몽롱해져 봤다. 두 눈이 감기지만 불면증에 도로 눈은 뜨였다. 죽어서도 잠에 들 수나 있으려나. 나는 당신이 앓다 간 자리에서, 뜬 눈으로 밤을 지세웠다.

희망이 종말되었다. 내게 허상이 보였던 게 하루 아침에 모닝 세레나데를 외쳐주는 그런 나날들이었나. 왜곡된 말들은 주워 담을 수가 없다. 내가 그들에게 마지막 희망을 가지고 부질없는 행동을 또 했던 게 후회가 되는 밤이었다. 당신의 자리는 너무 축축해서, 내 마음이 축축해지는 작품이었다. 누군가가 그려낸 예술 작품이 가치 있게 판단되는 것처럼, 축축히 젖어 서 있는 나도 가격을 메길 수 있는 건가. 나는 쓸모 있는 사람인가. 누구에게나 사랑받을 수 있는 존재인 건가. 행복이 멀리 있다고만 느꼈는데, 드디어 행복을 찾은 순간 든 생각은 내가 이 행복을 만끽해도 되는 사람인가. 그렇게 느껴버리고만 말았다.

카타르시스가 찾아왔다. 단기적이지만, 능동적이었다. 내 스스로 우울을 극복해냈다. 누구보다 더 자랑스러운 나였는데, 눈을 감은 순간 그 봄날이 무너졌다. 내 이치는 누구보다 더 빠르게 무언갈 깨닿는 것. 방귀 뀐 놈이 성을 낸다 하지만 난 방귀를 뀌지 않는 것을 선택할 거다. 애초에 뿌리를 잘라 싹을 씨 말려버릴 예정이다. 그래서 나는 말의 언어를 파악할 필요가 있다고 생각했다. 누군가에겐 상처가 될 수 있을 테니까.

견디는 것이 이제는 지친 사람

오늘도 무기력증에 아무것도 하고 싶지가 않았다. 누구보다 찬란했던 사람이기에, 항상 밝을 줄만 알았던 내가. 눈을 뜨고 싶지가 않았다. 지치고 힘든 사람들에게는 휴식이 필요하다 했다. 근데 나는 쉬는 게 더 힘든 사람이었다. 모든 걸 내려놓으면, 불안감에 오히려 마음 편하게 쉴 수가 없었다. 나를 버리고 싶었다. 우울한 감정이 사라지질 않아, 내 가슴만 답답하게 할 뿐. 신물이 나던 내 마음이 커져버린게, 텁텁한 내 입을 만들었다. 매마른 입술은 금방이라도 갈라져 찢어질 것만 같이 아파 보였다. 그렇다, 나는 마음이 다쳤다.

오늘 하루가 녹아버렸다. 하루를 살아내는 게 이제는 너무 쉬워졌다. 눈을 감았다 뜨면 하루가 끝나있다. 이젠 눈을 뜨는 게 두렵다. 어짜피 내 눈이 뜨이면 아침이고, 잠깐 깜빡이면 밤이 되어있는 게. 나의 밤은 다른 사람들과는 차원이 다른 기울기와 시간들이여서. 그 긴 밤을 보내는 게 나는 너무나 무서워서. 그 이름을 외칠 시간 조차도 주어지지 않아서. 아직도 절절했다. 나 너를 기다리는 게 이제는 지루해져서, 마냥 달갑지가 않아서.

모든 관계를 포기하고 싶다.

내 삶에 굳이 필요하지 않은 관계까지

내가 떠안고 살아가기 싫어졌다.

죽은 사람인 마냥 살아가고 싶다.

누군가의 발길도 닿지 않고,
누가 찾아오지도 않아서
더더 깊고 외로운 우울로 빠져들고 싶다.

빠져나오지 못하는 우울에서
나는 헤엄치며 살아내고 싶다.

사람들은 알까? 자신의 감정들을 배제 시켜놓고도, 다른 사람들과 잘 상호작용 할 수 있다는 것을. 내가 이 관계들에 얽혀, 견디는 것에 이제 무뎌졌다고 해도. 나는 이제 지쳐버렸다. 이 관계, 이 삶, 이 시간 속이. 아픔은 견디는 게 아니라 울어버려야 한다고. 답답함이 널 더 아프게 할 때면, 마음이 죽은 나에게 찾아오라고. 나의 마음은 블루.

"그냥 울어버리자고."

attendre

사랑을 갈구했다.
그저 나를 사랑해줄 사람이 필요했다.

누군가가 만들어 놓은 틀이 아니라, 날 진정으로 필요로 하고, 날 사랑해줄 사람이 필요했다.

오늘도 난 허구한 날에, 나라는 사람에게 착각이라는 것을 해버린 걸까? 죽음을 앞당겼다. 어짜피 내가 죽고 싶다는 감정을 미리 알아차리기에는, 나에게 그저 간사한 관심뿐이었던 감정에 목이 말라 매말라 버렸기 때문에, 내가 죽고 난 뒤에 땅을 치고 후회 할 일만 남은 것이다.

내 감정이 소홀했나? 내 표현이 무뎌졌었나. 난 하나도 부족한 것 없이 채워나갔는데, 관심을 갈구하니 무너지고 비참해지는 건 나 밖에 없더라. 자존심이 무너지는 일은 견딜 수 없다고. 티를 내지 않고 살아가고 싶었다.

누군가에게 사랑을 받는 것에 불신이 들었다. 난 사랑에 아팠고, 사랑에 데여왔으며, 사랑에 옥죄였다. 그저 그러니까 나만 바라볼 사람이 필요했다. 내 성이 무너졌다. 애정을 갖고 쌓아 올려왔던 성이 다른 곳에 성을 짓기 시작하면서부터 나를 잊어가며 그곳에 나와 다른 색감의 성을 지어버렸다. 내가 함부로 탐할수도 무너트릴 수도 없는 성을 지어버려서, 내 이름 석자도 날라가버렸다.

나를 보고 웃지 말아요.
당신들의 미소에 한없이 움츠러드는 나니까.

삶이 막막하고 두려워지는 게
나를 알아낼 수 없는 울음들이
개운하지 못하게 해결되어가는 문제들은
나를 그만 깊은 바닷속으로 잠수시켜버리고
눈에서 흐르는 눈물만이
나를 공감할 수 있다고

앞으로 살아가며 나는 그 누구도 믿지 않겠다고
헛된 기대조차 갖지 않을 거라고
그렇게 믿고 살아가고 싶다.

내 삶이 완벽해져서 행복해질 때까지.

"나를 위한 삶을 살아내어요."

M

그저 오늘이 순탄하게 지나가길 빌었다. 오늘이 마지막인 것 처럼, 그렇게 살아냈다. 하고 싶은 것들을 포기해버렸다. 사람들에게 갈구했던 기대감을 줄였다. 내 마음은 안정화 되어가는 듯 했다.

나는 무얼 위해 사는가가 아니라
나는 무엇 때문에 기다리고, 버티는가가 되어버렸다.

꿈을 쫓았다.

그곳에서는 내가 나로써 잘 살아내는 듯 했다. 오늘의 아픔을 내일로 미워두고, 내일이 되서도 또 내 아픔을 내일로 미루는 듯 했다. 아픔이 없는 하루는 사는게 사는 것 같지가 않아보였다.

우울하다 라는 감정은 내 주변에 아무도 없어서 생기는 것이 아니라, 있었는데 사라졌음에 우울하다는 감정을 느끼는 것이라 했다. 나는 이 말에 동감했다. 내 주변에 아주 아무도 없진 않았다. 그러므로 없었음에 생긴 우울이 아닌 셈이었다.

난 하나도 실수한 게 없다. 실수한 게 없는게 맞나. 모르겠는 삶을 살아간다. 그만들 좀 하면 안되냐는 말이 귓가에 맴돌았다. 내 신뢰를 잃어가는 기분이 들었다. 이젠 내가 누구인지도 모르겠다. 의미 없는, 실없는 대화를 하는 것도 싫다. 의미 없는 말들을 건네는 것 자체도 싫었다. 변해가는 마음처럼, 변해가는 관계들을 정의하는 것 자체도 내가 목을 메는 것만 같아서 힘들었다.

관계가 끊어지는 건 한순간이더라. 약에 취해서 정신을 못 차려도 나는 살아있다. 오늘을 살아가는 나조차도 미운데, 내일을 살아가는 나는 얼마나 나를 미워해야 해? 자책하지 말자며 소원을 연산 빌어댔는데, 난 하나도 잘난게 없어서 인정받지도 못한다고.

늙어간다는 것을 알아차릴 때쯤에,
내 주변에는 어느 사람들이 남아있을까.

행복을 좇아가려고 했었는데,
미련만 남은 하루들이 되어버렸다.

예상치 못한 겨울이 찾아왔다면

시간이 생각한 것과는 다르게 많이도 흘러갔다. 허무하게 지나간 11월이 갔고, 나에겐 12월이 찾아왔다. 12월이 왔는데도 허무한 것은 매한가지 똑같았다. 우울해서 죽고 싶다는 감정도, 힘들어서 무기력해지는 감정들도 저번달과 별반 다르지 않게 나의 새로운 달은 찾아왔다.

12월의 첫 시작이 마녀사냥으로 시작될 줄은 몰랐다.
내가 그로 인해 불안해지게 된 것도,
누군가에게 미안함을 느껴야 하는 것도,
나에게 자책감을 안겨다 준 일도,

그냥 내가 뭐든지 잘못한 거야.

과연, 내 삶에는 나의 책임만 있었던 것일까.

사람들이 싫어졌다.
살아내고 싶지가 않았다.

누군가를 대하는 것도, 그들의 기분에 맞춰야 살아남는 나를 바라보는 내 모습마저도.

나는, 지금의 내 상태는.
나를 사랑해줄 수가 없다.

우울함이 한없이 바닥을 내려쳤다. 당연한 감정에 매일을 요동쳤다. 날 좋아해 주는 것들에게 불신이 생긴다. 하고 싶은 것들이 자꾸만 날 무너뜨린다.

행복해지고 싶었다.
남들처럼 아무런 걱정 없이 살아내고 싶었다.
모든 불안이 내 것이 아니었으면 좋겠다.
그런 생각이 드는 건 나만 그런 건가.

행복해질 노력이 사라졌다. 견디는 것도 한계가 와버렸으니까. 행복은 만물이라고. 내가 뛰어넘지 못하는 산이면, 버티지 말아 달라고.

하루는 지루하고, 내 밤은 길었다. 뜬 눈으로 밤을 지새웠는데. 도대체 나는 언제쯤 잘 수 있는 건지. 언제 불안에서 벗어나 자유로워질 수 있는지. 심장은 언제 불안에서 벗어나 두근대지 않는 건지. 한치앞을 모르겠다.

해결되지 않는 일들은, 나에게는 힘겹기만 한 인생이라고.

죽고 싶은 날에는 글만 써댔다.

내일의 나는 온전하기를

지독한 병에 걸려버렸다. 나약하고 허약한 체질 덕분에, 면역력이 사라졌다. 행복이 멀리에 가 있었다. 어느 순간 그 행복을 찾았다고 생각했는데, 착각이었다. 비극이 아닐까 싶었다.

그저 눈에 넣어도 아프지 않을 만큼의. 그런 간단한 관계만 나에게 왔으면 했더. 목감기 처럼 지독한 관계가 얽히면, 나는 또 그 관계에 목을 메버리겠지.

또 처참히 밟혀 아파 버리겠지.

하늘이 무너져버렸다. 아프고만 싶다고 말한 내 한마디에 정말 아프게만 되어버렸다. 아무짝에도 쓸모가 없어서 내다 버려졌다.

우울했다.
아프니까 더 우울했다.

서러웠다.

이 모든 아픔이 내가 잘못하지 않은 것도 내 탓으로 만들만큼. 큰 파장을 일으켰다. 내가 나를 못믿는 느낌이 들었다. 아파보니 알게 되었다. 사람이 아파서 점점 미쳐

가는 이 감정을.

 나는 나만의 것이라고 생각했다. 삶이 다 부질 없다고 생각이 들었다. 죽어도 찾는 사람 아무도 없겠다. 그렇게 느낀 건 나만 그런건가.

다 부질없다.
 마지막 희망이라도 부여잡았던 그런 내가 한심하게만 느껴졌다. 아픔을 견뎌내는 법을 배웠다고 생각했는데, 아픔을 받아들이는 법을 깨우쳤다.

 눈부시게 새하얀 꿈을 꾸었다. 암흑 같던 그런 흑백의 꿈이 아니라. 세계가 너무 황야여서 걸어도 끝이 안날 것 같은. 그런 새하얀 꿈들이 나를 덮쳐왔다.

모든 게, 모든 사람들이 다 신경 쓰이고 나는 또 달아나고 싶다고 생각했다.

격동

격정적인 단어들로 누군가를 해쳐본 적이 있습니까. 나는 내 마음을 담아낼 수 없는 무언가들을 해쳐보았습니다. 삶은 유연하고, 나는 살아내는 것이 지쳤습니다.

누군가가 만들어 놓은 길을 걷는 것은, 내가 살아 나가면서 가꿔 나가야 하는 모든 것을 바라보기만 한 마음을 대변한 것일까요.

이해할 수 없는 마음들과, 행복들 에게는 주어진 것을 내보일 수 없는 게. 나는 얌전하게 하루를 보낼 수가 없어서. 행복해질 수 있는 건가, 고민만 해대는 게.

나에게 주어진 것은 무엇인지. 내가 하고 싶은 대로 살면서, 부담스러운 감정은 배제 시키고. 잔잔하게 물결처럼 흘러 나가는 게 좋습니다.

나의 마음을 대변할 수 있는 것이 좋아요.

그래야 내가 조금 더 숨 쉴 구멍이 생길 것 같아요.

나를 설레게 할 무언가가 생겼으면 좋겠다. 나를 좋아하는 것에게 의심을 품고는, 날 좋아하지 말아 달라고 마음으로 기도했다. 나는 좋은 사람이 아니니. 나를 좋아하지 말아 달라고, 내가 누군가를 마음에 품게 된다면 그 사람의 삶은 망가질 것이라고.

마음이 격동쳤다. 심장이 두근대서 더 이상은 살아 나가기에는 힘들다고 생각이 들었다. 누군가는 날 좋아해 주는 마음이 진실적으로 받아질 수도 있지만, 나는 그렇지 않아서.

아픔과 슬픔이 공존하는 이유는. 당신이 나를 좋아함에 있어서, 그 이유가 생겨났다. 그 아픔을 좋게 받아들일 수 없기 때문에 힘들다고 입 밖으로 말을 내뱉었다.

내 입에는 자물쇠가 걸려있어서.

그 누구도 풀 수 없고, 내 뱃속 안에 열쇠가 있기에. 나만이 내 아픔을 풀어낼 수 있다.

감춰둔 진실

바닥으로만 한없이 꺼지는 땅이 내 모자란 마음까지도 채웠으면 좋겠다고 생각했던 적이 있다. 나는 솔직히도 그 사람이 좋았으나, 나는 사랑받을 자격이 없기에 그 누구도 날 좋아해선 안됐다. 내 마음이 이렇게 아파왔던 건 그 사람을 가질 수 없어서가 아니라, 내 마음을 믿지 못했던 것이 아닐까 생각이 들었다. 내 마음은 나를 대변하지 못한다고.

누구에게도 나를 알리지 말라고.
나는 나를 사랑하지 못하는 병에 걸렸다고.

졸렬하게 추상적인 삶만 살아오던 게. 언제 이렇게 행복해지려고 하냐며. 나를 더 조이고 옭아맸다. 나는 나를 미워했어서. 그를 사랑 해줄 자신이 없었다. 원하지 않더라도, 난 받기만 하질 못해서.

내 마음은 쓰레기통과 같아서. 감정이 내다 팔려도, 그 감정을 다시 사들일 수 있는 쓰레기와 같은 사람이었으니까. 내가 아플 수 있던 이유도 그 감정이 나를 버렸기에 아팠다는데. 언제쯤 내가 덜 아플 수 있을까. 머릿속은 언제 텅 빌까. 눈 밑에 내려앉은 다크 써클이 입꼬리까지 내려와 피폐해지는데. 이렇게 시달려도 되는 삶인건가.

오늘의 마지막을 달렸다. 내 마지막을 살아냈다. 죽을 각오를 열심히 했다. 행복해지고 싶었으니까. 아픈 기억을 누군가에게 주고, 내가 웃을 수 있었으면 좋겠다고 생각했다. 그걸 실행으로 옮기고 행동할 용기가 필요했다. 그 용기는 누구에게 가서 사지? 난 하나도 나 혼자서 할 수 있는 것이 없었음에 날 더 미워하게 된 것 같았다. 오늘도 날 사랑할 수 없는 나를 증오하게 되었다.

오늘이 다 가고 나면 잘 수 있을 줄 알았는데, 또 나란 태엽 시계 같은 사람은 정해진 시간이 되면 저절로 눈이 떠진다고. 좀처럼 진정이 되지 않는 마음을 건들인 사람이 행복하다는 감정을 느낀다는 게, 멀리서만 바라보고 싶었던 내 마음을 대변한 걸까. 날 좋아한다는 말에 현혹되지 않아야 했다. 내가 분명 그 사람에게도 또 똑같은 아픔을 줄 게 뻔했기 때문이다. 아픔을 겸허히 받아들이기로 마음 먹었다. 아픔을 잊는다는 것은. 나조차도 잃어내는 것과 같았기에. 난 그냥 날 아프게 하고 말아버릴래 하고 단정 지어버렸다.

"오늘을 살아."

her

나의 문학. 나의 사랑. 나의 연민.

그 무엇도 날 안아주지 않았던 불안.
모든 생물체가 살아있었음에 내 사랑은 죽어갔다.
아픔과 이별, 눈물과 허상.
그 무엇도 나에게 살라고 이야기하지 않았음에
내 하루는 그렇게 처참히 무너져갔다.

네가 보는 나의 아픔은 기쁨과 환희.
날 알려거든 널 먼저 가꿔야지.
작은 새가 지저귀듯 네 목소리도 희어질 때면
너를 찾는 나이테가 잡힐 듯 말듯 미상.
앞으로 나아가지 못하고 제자리 걸음만 하는.
그저 내가 할 줄 아는 것이라곤 눈물을 보이는 것뿐.

아픔은 사랑으로 잊으라 했는데
나에게 사랑은 고통과도 같은 것이라서.
불확실한 애증의 관계는 우울을 초래해서.

내가 서 있는 길이 맞는 길인지
포기라는 말이 이렇게 쉬운 단어였는지
죽음은 나에게 행복과도 같은 말이었는지
우울을 달갑게 받아들이라고 하였건만

죽음을 먼저 생각해버리고는
아픈 곳을 콕콕 찔러 터트려버리는지

죽지 말아라, 네가 필요해서
네가 죽어버리면 내가 쓸모없어지잖아.
이런 말 들이 간절했나보다.

너무 당연시 여기던 오늘을 살아내는걸
앞으로의 나날들을 견딜 내가 허락하지 않았다.

미련을 버리고 미움을 얻더래도
최소한의 나는 잃어내지 말아야지.
그 누구보다 나를 아프게 했던 사람들에게
더 많은 고통을 안겨다 줄 너에게
너의 삶을 살아라.
그래야 죽을 날이 오면
살아왔던 날들이 후회되지 않을 거니까.

우리에게 다가올 일들이
마음처럼 되지 않는 일들의 연속이기에
나는 하루를 바짝 긴장한 상태로 살았다.
그런 하루들이 있지 않은가
나는 긴장하고 있는데 모든 일들이 잘 풀리는
너무 술술 풀려서 오히려 더 걱정되는 날들이.

나는 그런 하루들에 이제 지쳐버렸다.

처참히 무너질 결말을 그만 예측하고 싶다.

내 문학은 장맛비 처럼 스며드는 부호.
온기가 느껴지지 않는 서리 낀 입김은
차마 내 한마디를 내뱉기도 전에
세상을 떠나갔다고.

슬픔을 잊어보려 우울을 안았는데
잊을 수 없는 되물림이 되어버렸다고.
나만 아프고 싶었는데.
누군가를 또 해치고 말았다고.
아프지 마라, 울지마라, 날 버려라.

지난날의 모든 선택들에게
후회는 없었다고 전할게.
그치만 이별을 고한다고 말하면
네가 정말로 슬퍼할까.
어쩌면 조금은 아파줬으면 좋겠는데.
관계는 맺어도 그만, 맺지 않아도 그만이니까.
무념 무상하게 지내고 싶은 날 버려줘.
더 이상의 아픔을 받고 자라나고 싶지 않으니까.

감정이입의 연민은
나에게는 사랑이라 믿었던 것에서부터 오니까.
불쌍하다 여겨지는건 자다 깨다를 반복하며
쉽게 깊은 잠에 들지 못하는 나를 위한 연민인 건가.

사랑은 연민이고, 아픔을 시련이라 지칭했다.

그 누구에게나 쉽게 오고
어느 에게나 찾아올 수 있는
그런 아픔과 우울, 슬픔과 이별들은
나에게는 이제 아무것도 아닌 것들이 되어버려서.

사랑을 해본적이 없는 나였음에
사랑을 할 가치를 메기지 않았다.

돌아오지 않는 청춘의 끝자락

모두가 다. 바닥으로 추락했으면 좋겠다.

올라갈 것이 없어서, 올라올 수 없는.
나보다 더 위로 올라온 사람들이 없게끔.

손이 떨려서 아무것도 할 수가 없다. 말은 주워 담을 수가 없다. 의미 없는 사람들은 상종도 하기 싫어져서. 힘들기 싫어서 아픈 걸 선택했는데, 날 좋아해 주는 것들에게 정을 떼버렸다. 날 왜 좋아해 주는건지. 이해할 수 없는 힘듦이 나를 아프게 했다.

불안이 내 마지막 청춘을 물들였다. 날 잘 알지도 못하는데, 왜 잘해주는 것인지. 선불리 생각하지 말자고. 날 이용하는 것일지도 모른다고. 또 아프고 싶은 건 아니겠지. 내가 아프지 않으려면, 오해할 수 있는 날 좀 컨트롤 해야할 필요가 있다며.

내 삶이 행복해지는 길은, 내가 혼자가 되는 것.
포커페이스를 유지할 것.
내가 소중하게 여기는 것에, 좋아한다고 정의할 수 있는 감정을 남기지 말 것.

사람은 고쳐쓰는 것이 아니라 했다. 이해할 수 없는 관계에는 허물이 있다고, 이런 생각이 든다면 멀리하는 것이 맞다. 이미 실망한 마음이 자리 잡았다면, 다시는 되돌아갈 수 없다는 것을 인지한 채 모든 관계를 정리하는 것이 맞다고 배웠다.

나에게 쏟을 시간도 아까울 텐데, 살면서 금방 지나쳐갈 사람들을 위해. 소중한 내 시간을 내다 바치는 일는 하지 말아야 한다. 누가 그랬는지, 누구의 말인지도 모르지만. 지금의 나는 아무튼 관계라는 것에 정의 받고 있는 나에게 지쳤다.

내가 포용해야 하는 삶이라면, 이제는 지친다 이말이다. 아. 그때의 나는 그랬었지 라며 후회하는 말들로 날 아프게 하기 싫었다. 관계에 떠오르는 허상이 있다면, 난 그것을 쳐다보지 않는 바보가 될래요.

그냥 나답게 살아가며, 지금 내 앞에 해결해야 할 일들 먼저 해결하며, 성과를 이루고 싶은 마음뿐. 내 모든 관계들은 성립되지 않아도 되니까. 온전하게 살아갈 힘만 조금 보태주라. 이제는 조금씩 행복해져 봐도 되잖아.

소실 한 가운데에 서 있다. 몰락 앞에 서서 바라본 나. 그들은 허상을 사랑했나. 아니면 무너져가는 나를 사랑했나. 죽어가던 내 그림자가, 앞이 시꺼매진 채로 대롱대롱 메달렸다. 내 삶은 희어졌다. 이제 더 이상 살아내기 싫은 감정이. 도대체 무슨 삶을 더 살아내야 하냐며, 나를 또 죽이고 갔다.

무엇 때문인지 닦아내지 못한 앞길을 비추고 갔다. 삶은 잠깐 찬란하게 빛나다가, 금세 저물어 어두워진다. 그 시기가 우리 앞의 별이 소실되는 지점일지라도, 앞을 내다보는 일은 멈춰야 한다.

분수에 맞게 살아낸다는 것이라고 해야 하나. 절단된 인간 관계들을 살아내는 일들은, 한치 앞도 보이지 않는 내 미래에서부터 시작된다고.

나는 살아야 되는 존재인가. 살아내야 하는 존재인가.

무기력에 눈을 감았다 뜨니, 우울함이 찾아와 하루가 끝나버렸다. 밤은 왜 이리 일찍도 찾아와 늦게 저무는 것인가. 그리고는 너무 긴 어둠이 밉다. 내 마음이 이때다 싶어 병들어 버린 게 아닌가. 지금이 아니면 난 우울할 틈조차 없을 테니까. 이 순간이 아니면 날 바라볼 수가 없으니까.

죽어 버렸음 좋겠다.
내가 이 세상에서 더 이상 견딜 수 없을 것만 같다.

하루는 잔뜩 잔혹하고, 비열하다.
죽음을 배정받고 기다리는 것 보다.
앞으로의 삶이 막막한 게 더 힘들었다.

우울을 지닌 사람들의 마음은 다 같은가. 죽고 싶다는 생각까지 하는 것은 죽을 용기가 없어서 포기하는 것이 대부분이다. 그리곤 체념을 한다. 이제 견디는 것에는 더 신물이 났다. 조금만 더 참고 열심히 해내보자. 이런 마음이 날 자꾸만 더 모자라 보이게 만든다.

그냥 죽고 모든 감정을 팔아버려 잃고 편안해졌음 좋겠다.

아름다웠던 당신의 하루들을 추억하며
당신이 느꼈던 슬픔, 우울, 행복 등의
감정을 담은 글들을 자유롭게 적어보세요